초등 수학 전문가가 만든 연산 교재

원리셈

1학년

• **받아올림/내림 없는 두 자리 수 덧셈, 뺄셈** •

지은이의 말

수학은 원리로부터

수학은 구체물의 관계를 숫자와 기호의 약속으로 나타내는 추상적인 학문입니다. 이 점이 아이들이 수학을 어려워하는 가장 큰 이유입니다. 이러한 수학은 제대로 된 이해를 동반할 때 비로소 힘을 발휘할 수 있습니다. 수학은 어느 단계에서나 원리가 가장 중요합니다.

수학 교육의 변화

답을 내는 방법만 알아도 되는 수학 교육의 시대는 지나고 있습니다. 연산도 한 가지 방법만 반복 연습하기 보다 다양한 풀이 방법이 중요합니다. 교과서는 왜 그렇게 해야 하는지 가르쳐 주고 다양한 방법을 생각하도록 하지만, 학생들은 단순하게 반복되는 연습에 원리는 잊어버리고 기계적으로 답을 내다보니 응용된 내용의 이해가 부족합니다.

연산 학습은 꾸준히

유초등 학습 단계에 따라 4권~6권의 구성으로 매일 10분씩 꾸준히 공부할 수 있습니다. 원리와 다양한 방법의 학습은 그림과 함께 재미있게, 연습은 다양하게 진행하되 마무리는 집중하여 진행하도록 했습니다. 부담 없는 하루 학습량으로 꾸준히 공부하다 보면 어느새 연산 실력이 부쩍 늘어난 것을 알 수 있습니다.

개정판 원리셈은

동영상 강의 확대/초등 고학년 원리 학습 과정 강화 등으로 교과 과정을 완벽하게 대비할 수 있도록 원리와 개념, 계산 방법을 학습합니다. 단계별 원리 학습은 물론이고 연습도 강화했습니다.

학부모님들의 연산 학습에 대한 고민이 원리셈으로 해결되었으면 하는 바람입니다.

지은이 천종현

원리셈의 특징

☑ **원리셈의 학습 구성**

한 권의 책은 매일 10분 / 매주 5일 / 6주 학습

☑ **원리셈의 시나브로 강해지는 학습 알고리즘**

초등 원리셈은

시작은 원리의 이해로부터, 마무리는 충분한 연습과 성취도 확인까지

☑ **체계적인 학습 구성**

쉽게 이해하고 스스로 공부!
실수가 많은 부분은 별도로 확인하고 연습!
주제에 따라 실전을 위한 확장적 사고가 필요한 내용까지!
원리로 시작되는 단계별 학습으로 곱셈구구마저 저절로 외워진다고 느끼도록!

원리셈 전체 단계

키즈 원리셈

초등 원리셈

초등 원리셈의 단계별 학습 목표

원리와 연습을 모두 잡는 원리셈!!

학년별 학습 목표와 다른 책에서는 만나기 힘든 특별한 내용을 확인해 보세요.

◉ 1학년 원리셈

모든 연산 과정 중 실수가 가장 많은 덧셈, 뺄셈의 집중 연습
여러 가지 계산 방법 알기
덧셈, 뺄셈의 관계를 이용한 '□ 구하기'의 이해

◉ 2학년 원리셈

두 자리 덧셈, 뺄셈의 여러 가지 계산 방법의 숙지와 이해
곱셈 개념을 폭넓게 이해하고, 곱셈구구를 힘들지 않게 외울 수 있는 구성
나눗셈은 3학년 교과의 내용이지만 곱셈구구를 외우는 것을 도우면서 곱셈구구의 범위에서 개념 위주 학습

◉ 3학년 원리셈

기본 연산은 정확한 이해와 충분한 연습
곱셈, 나눗셈의 관계를 이용한 '□ 구하기'의 이해
분수는 학생들이 어려워 하는 부분을 중점적으로 이해하고, 연습하도록 구성

◉ 4학년 원리셈

작은 수의 곱셈, 나눗셈 방법을 확장하여 이해하는 큰 수의 곱셈, 나눗셈
교과서에는 나오지 않는 실전적 연산을 포함
많이 틀리는 내용은 별도 집중학습

◉ 5학년 원리셈

연산은 개념과 유형에 따라 단계적으로 학습 후 충분한 연습
약수와 배수는 기본기를 단단하게 할 수 있는 체계적인 구성

◉ 6학년 원리셈

분수와 소수의 나눗셈은 원리를 단순화하여 이해
비의 개념을 확장하여 문장제 문제 등에서 만나는 비례 관계의 이해와 적용
비와 비례식은 중등 수학을 대비하는 의미도 포함. 강추 교재!!

1학년 구성과 특징

1권은 받아올림, 받아내림 없는 두 자리 덧셈, 뺄셈을 공부하고, 2권~5권은 한 자리 덧셈, 뺄셈의 체계적 연습으로 세 수의 덧셈, 뺄셈과 □ 구하기를 포함합니다. 6권에서 두 자리와 한 자리의 덧셈, 뺄셈으로 확장하여 공부합니다.

원리

수 모형, 동전 등을 이용하여 원리를 직관적으로 이해하고 쉽게 공부할 수 있도록 하였습니다.

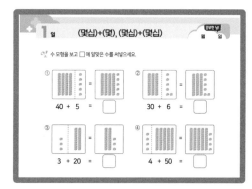 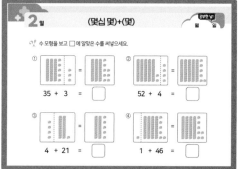

다양한 계산 방법

다양한 계산 방법을 공부함으로써 수를 다루는 감각을 키우고, 상황에 따라 더 정확하고 빠른 계산을 할 수 있도록 하였습니다.

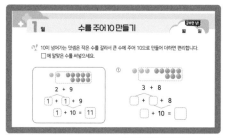 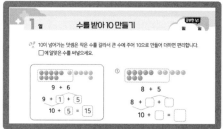

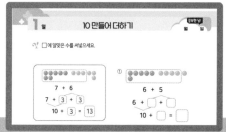

연습

기본 연습 문제를 중심으로 여러 형태의 문제로 지루하지 않게 반복하여 연습할 수 있도록 구성하였습니다.

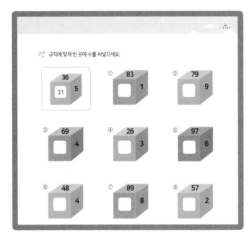
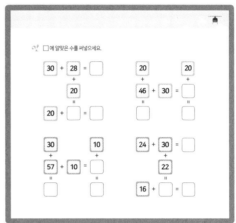

도전! 계산왕

주제가 구분되는 두 개의 단원은 정확성과 빠른 계산을 위한 집중 연습으로 주제를 마무리 합니다.

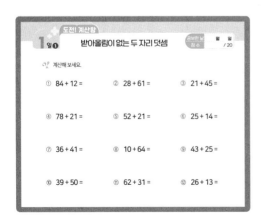

성취도 평가

개념의 이해와 연산의 수행에 부족한 부분은 없는지 성취도 평가를 통해 확인합니다.

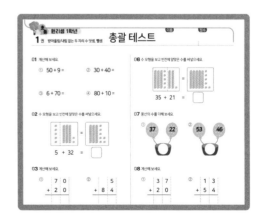

원리셈 100% 활용하기

☑ 책의 사이사이에 학생의 학습을 돕기 위한 저자의 내용을 잘 이용하세요.

📖 단원의 학습 내용과 방향

한 주차가 시작되는 쪽의 아래에 그 단원의 학습 내용과 어떤 방향으로 공부하는지를 설명해 놓았습니다.
학부모님이나 학생이 단원을 시작하기 전에 가볍게 읽어 보고 공부하도록 해 주세요.

📚 이해를 돕는 저자의 동영상 강의

처음 접하는 원리/개념과 연산 방법의 이해를 돕기 위한 동영상 강의가 있으니 이해가 어려운 내용은 QR코드를
이용하여 편리하게 동영상 강의를 보고, 공부하도록 하세요.

🕮 학습 Tip   간략한 도움글은 각 쪽의 아래에 있습니다.

✏ 천종현수학연구소 네이버 카페와 홈페이지를 활용하세요.

카페와 홈페이지에는 추가 문제 자료가 있고, 연산 외에서 수학 학습에 어려움을 상담 받을 수 있습니다.

네이버에서 **천종현수학연구소**를 검색하세요.

· **1** 주차 ·

(두 자리)+(한 자리)와 (몇십)+(몇십)

받아올림이 없는 두 자리와 한 자리의 덧셈을 공부합니다. 몇십과 몇십의 덧셈은 두 자리와 한 자리의 덧셈은 아니지만 셈이 한 번만 있는 덧셈이므로 이 단원에서 함께 공부합니다. 연습은 몇십 몇과 몇의 덧셈 위주로 합니다.

수 모형을 보고 ◻에 알맞은 수를 써넣으세요.

①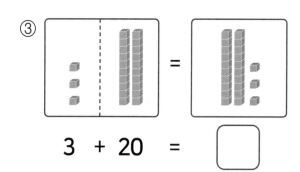

　40 + 5 = ◻

②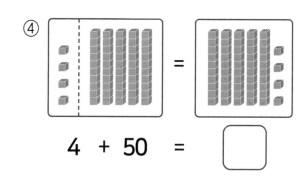

　30 + 6 = ◻

③
　3 + 20 = ◻

④
　4 + 50 = ◻

⑤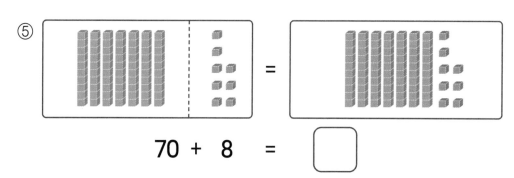

　70 + 8 = ◻

⑥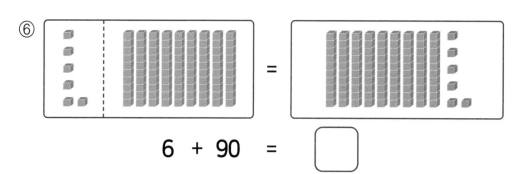

　6 + 90 = ◻

🐣 계산해 보세요.

① $40 + 6 =$

② $4 + 80 =$

③ $30 + 5 =$

④ $7 + 60 =$

⑤ $50 + 8 =$

⑥ $80 + 5 =$

⑦ $5 + 30 =$

⑧ $40 + 4 =$

⑨ $40 + 9 =$

⑩ $3 + 20 =$

⑪ $1 + 90 =$

⑫ $40 + 7 =$

⑬ $4 + 50 =$

⑭ $6 + 70 =$

⑮ $20 + 7 =$

⑯ $9 + 80 =$

수 모형을 보고 ☐에 알맞은 수를 써넣으세요.

①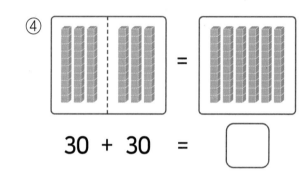

30 + 20 = ☐

② 20 + 50 = ☐

③ 40 + 10 = ☐

④ 30 + 30 = ☐

⑤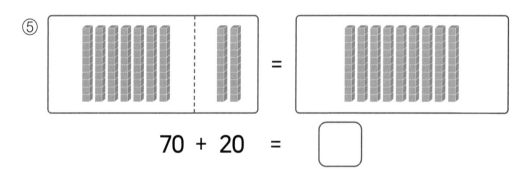

70 + 20 = ☐

⑥ 40 + 50 = ☐

① 70 + 20 =

② 50 + 30 =

③ 20 + 40 =

④ 70 + 10 =

⑤ 60 + 20 =

⑥ 40 + 30 =

⑦ 50 + 40 =

⑧ 10 + 40 =

⑨ 60 + 10 =

⑩ 10 + 10 =

⑪ 40 + 40 =

⑫ 30 + 10 =

⑬ 20 + 50 =

⑭ 20 + 30 =

⑮ 30 + 60 =

⑯ 50 + 10 =

수 모형을 보고 □에 알맞은 수를 써넣으세요.

①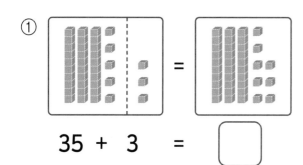

35 + 3 = □

② 52 + 4 = □

③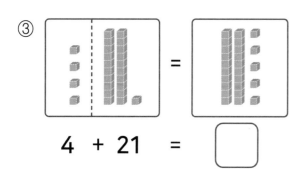

4 + 21 = □

④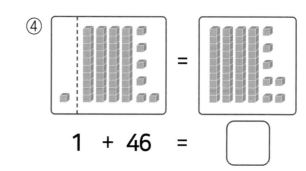

1 + 46 = □

⑤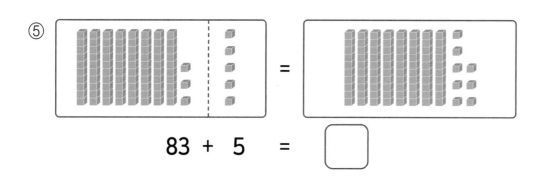

83 + 5 = □

⑥

7 + 72 = □

계산해 보세요.

① $62 + 5 =$

② $3 + 91 =$

③ $33 + 6 =$

④ $7 + 32 =$

⑤ $2 + 83 =$

⑥ $83 + 5 =$

⑦ $53 + 6 =$

⑧ $34 + 3 =$

⑨ $44 + 5 =$

⑩ $1 + 28 =$

⑪ $4 + 94 =$

⑫ $41 + 6 =$

⑬ $14 + 5 =$

⑭ $62 + 7 =$

⑮ $36 + 3 =$

⑯ $2 + 84 =$

공부한 날!

월   일

💡 세로셈으로 덧셈을 하는 방법을 보고 □에 알맞은 수를 써넣으세요.

```
   3 0          3 | 0          3 | 0
 + 5 0    ➡   + 5 | 0    ➡   + 5 | 0
 _____         ___|_0         ___|___
                             8 | 0


   2 4          2 | 4          2 | 4
 +   3    ➡   +   | 3    ➡   +   | 3
 _____         ___|_7         ___|___
                             2 | 7
```

①
```
  5 | 0
+   | 7
__|__
```

②
```
  2 |
+ 6 | 0
__|__
```

③
```
  8 | 0
+ 1 | 0
__|__
```

④
```
  3 | 0
+ 2 | 0
__|__
```

⑤
```
  7 | 1
+   | 4
__|__
```

⑥
```
    | 5
+ 8 | 3
__|__
```

⑦
```
    | 6
+ 2 | 2
__|__
```

⑧
```
  4 | 3
+   | 3
__|__
```

T ip ─────────────────────

두 자리 덧셈, 뺄셈까지는 가로셈을 많이 해 보는 것이 좋습니다. 세로셈을 통해서는 자릿수별로 나누어 생각하는 것이 편리하다는 것을 알도록 합니다.

計算해 보세요.

①
$$
\begin{array}{r}
3\ 0 \\
+\ 4\ 0 \\
\hline
\end{array}
$$
30 + 40 =

②
$$
\begin{array}{r}
2\ 1 \\
+\ \ \ 8 \\
\hline
\end{array}
$$
21 + 8 =

③
$$
\begin{array}{r}
8 \\
+\ 4\ 0 \\
\hline
\end{array}
$$
8 + 40 =

④
$$
\begin{array}{r}
8\ 2 \\
+\ \ \ 4 \\
\hline
\end{array}
$$
82 + 4 =

⑤
$$
\begin{array}{r}
7\ 2 \\
+\ \ \ 3 \\
\hline
\end{array}
$$
72 + 3 =

⑥
$$
\begin{array}{r}
6 \\
+\ 6\ 0 \\
\hline
\end{array}
$$
6 + 60 =

⑦
$$
\begin{array}{r}
7\ 0 \\
+\ 1\ 0 \\
\hline
\end{array}
$$
70 + 10 =

⑧
$$
\begin{array}{r}
4\ 3 \\
+\ \ \ 5 \\
\hline
\end{array}
$$
43 + 5 =

규칙에 맞게 빈 곳에 수를 써넣으세요.

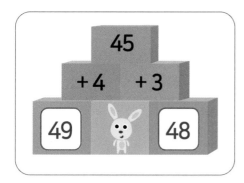

①

②

③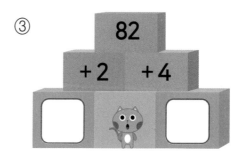

④

⑤

⑥

⑦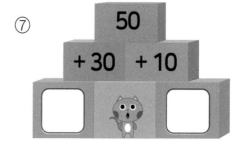

연산 퍼즐

색칠된 칸의 가로, 세로의 두 수의 합을 구해서 표를 완성하세요.

34	5	+	39
4	+	55	
+	63	2	
38			

3	+	74	77
61	5	+	
+	43	2	
64			

70	+	10	
+	60	9	
5	20	+	

+	30	3	
5	+	14	
73	1	+	

4	90	+	
+	5	40	
70	+	20	

+	2	60	
3	45	+	
82	+	7	

계산 결과에 알맞게 길을 그려 보세요.

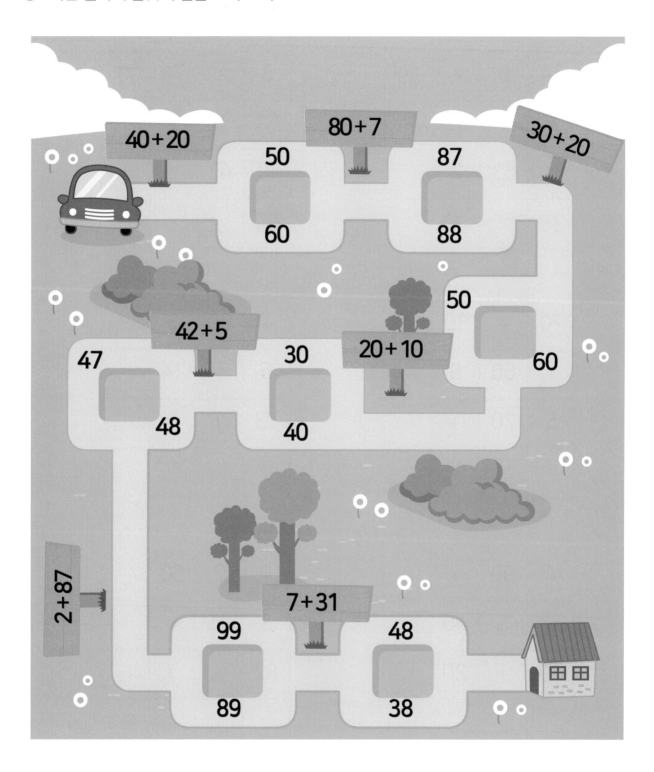

문장제

글과 그림을 보고 물음에 알맞은 식을 세우고 답을 구하세요.

기영이는 아버지, 동생과 낚시를 하러 갔습니다. 아버지는 물고기를 12마리 잡았고 기영이는 7마리를 동생은 5마리를 잡았습니다.

★ 아버지와 기영이가 잡은 물고기는 모두 몇 마리일까요?

식 :   12 + 7 = 19   답 :   19   마리

① 아버지와 동생이 잡은 물고기는 모두 몇 마리일까요?

식 : _____   답 : _____ 마리

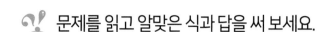 문제를 읽고 알맞은 식과 답을 써 보세요.

① 미정이는 승희에게 사탕 11개를 받았습니다. 잠시 후 민주에게 사탕 6개를 더 받았다면 승희와 민주에게 받은 사탕은 모두 몇 개일까요?

식: _____ 답: _____ 개

② 학교 운동회에서 남학생은 파란색 풍선을, 여학생은 노란색 풍선을 하나씩 날렸습니다. 남학생이 40명, 여학생이 30명이라면 하늘에 날아가는 파란색과 노란색 풍선은 모두 몇 개일까요?

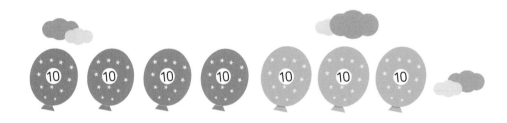

식: _____ 답: _____ 개

❗ 문제를 읽고 알맞은 식과 답을 써 보세요.

① 선영이는 농장 체험을 가서 딸기를 60개 따고 선영이의 어머니는 선영이보다 7개를 더 땄습니다. 선영이 어머니가 딴 딸기는 모두 몇 개일까요?

식 : _____   답 : _____ 개

② 민성이는 줄넘기를 했는데 첫 번째는 7번을 넘었지만 두 번째는 처음보다 22번을 더 넘었습니다. 두 번째는 몇 번을 넘었을까요?

식 : _____   답 : _____ 번

③ 한 상자에 21개의 귤이 들어 있습니다. 귤 한 상자와 5개의 귤이 더 있다면 귤은 모두 몇 개일까요?

식 : _____   답 : _____ 개

문제를 읽고 알맞은 식과 답을 써 보세요.

① 냉장고에서 달걀 20개를 꺼내어 가족과 함께 먹었습니다. 냉장고에 아직 9개의 달걀이 남아있으면, 처음 냉장고에 있던 달걀은 몇 개였을까요?

식 : _____   답 : _____ 개

② 초롱이의 삼촌은 40살입니다. 10년 후 삼촌의 나이는 몇 살일까요?

식 : _____   답 : _____ 살

③ 어항에 금붕어가 15마리가 있는데 더 큰 어항으로 바꾸면서 새로운 금붕어 2마리를 더 넣었습니다. 바꾼 어항에는 몇 마리의 금붕어가 있을까요?

식 : _____   답 : _____ 마리

• **2**주차 •

(두 자리)+(두 자리)

받아올림 없는 두 자리와 두 자리의 덧셈을 공부합니다. 받아올림이 없기 때문에 십의 자리와 일의 자리를 각각 계산한다는 점만 이해하면 사실 한 자리 덧셈과 같다는 것을 알 수 있습니다.

수 모형을 보고 □에 알맞은 수를 써넣으세요.

①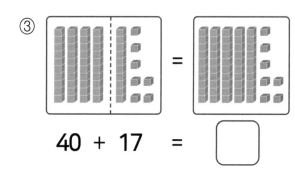

$25 + 30 =$ ☐

②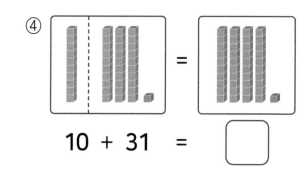

$42 + 20 =$ ☐

③

$40 + 17 =$ ☐

④

$10 + 31 =$ ☐

⑤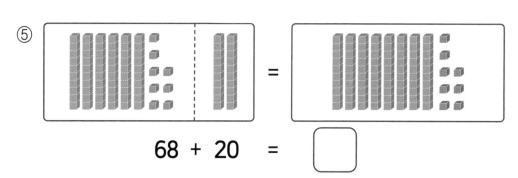

$68 + 20 =$ ☐

⑥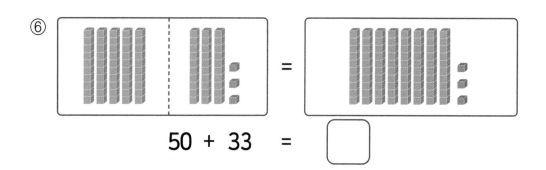

$50 + 33 =$ ☐

😃 계산해 보세요.

① 73 + 20 =

② 40 + 28 =

③ 64 + 20 =

④ 30 + 68 =

⑤ 26 + 50 =

⑥ 10 + 35 =

⑦ 13 + 70 =

⑧ 20 + 61 =

⑨ 47 + 40 =

⑩ 30 + 44 =

⑪ 85 + 10 =

⑫ 70 + 11 =

⑬ 33 + 30 =

⑭ 20 + 52 =

⑮ 46 + 30 =

⑯ 17 + 60 =

수 모형을 보고 ☐ 에 알맞은 수를 써넣으세요.

① 13 + 26 = ☐

② 24 + 31 = ☐

③ 32 + 23 = ☐

④ 22 + 25 = ☐

⑤ 45 + 43 = ☐

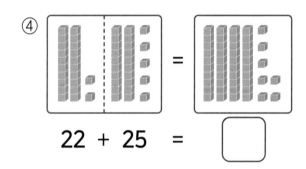

⑥ 63 + 33 = ☐

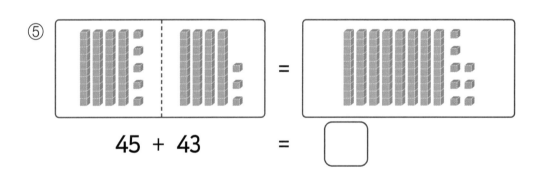

① $26 + 51 =$

② $61 + 26 =$

③ $71 + 17 =$

④ $28 + 11 =$

⑤ $48 + 31 =$

⑥ $73 + 23 =$

⑦ $11 + 58 =$

⑧ $12 + 64 =$

⑨ $32 + 53 =$

⑩ $26 + 23 =$

⑪ $62 + 21 =$

⑫ $33 + 44 =$

⑬ $55 + 21 =$

⑭ $41 + 15 =$

⑮ $37 + 42 =$

⑯ $16 + 42 =$

풍선의 수를 더해 보세요.

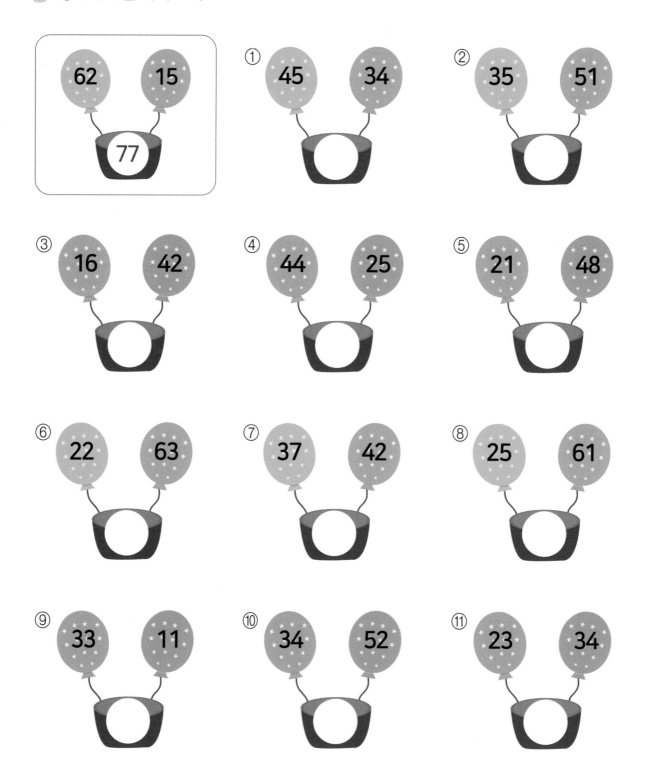

62   15
77

① 45   34

② 35   51

③ 16   42

④ 44   25

⑤ 21   48

⑥ 22   63

⑦ 37   42

⑧ 25   61

⑨ 33   11

⑩ 34   52

⑪ 23   34

세로셈

세로셈으로 덧셈을 하는 방법을 보고 ☐에 알맞은 수를 써넣으세요.

$$
\begin{array}{r}
5\ 6 \\
+\ 2\ 0 \\
\hline
\end{array}
\Rightarrow
\begin{array}{r}
5\ |\ 6 \\
+\ 2\ |\ 0 \\
\hline
|\ 6 \\
\end{array}
\Rightarrow
\begin{array}{r}
5\ |\ 6 \\
+\ 2\ |\ 0 \\
\hline
7\ |\ 6 \\
\end{array}
$$

$$
\begin{array}{r}
4\ 5 \\
+\ 3\ 4 \\
\hline
\end{array}
\Rightarrow
\begin{array}{r}
4\ |\ 5 \\
+\ 3\ |\ 4 \\
\hline
|\ 9 \\
\end{array}
\Rightarrow
\begin{array}{r}
4\ |\ 5 \\
+\ 3\ |\ 4 \\
\hline
7\ |\ 9 \\
\end{array}
$$

①
$$
\begin{array}{r}
4\ |\ 7 \\
+\ 1\ |\ 0 \\
\hline
\end{array}
$$

②
$$
\begin{array}{r}
3\ |\ 0 \\
+\ 4\ |\ 7 \\
\hline
\end{array}
$$

③
$$
\begin{array}{r}
3\ |\ 0 \\
+\ 5\ |\ 6 \\
\hline
\end{array}
$$

④
$$
\begin{array}{r}
4\ |\ 9 \\
+\ 2\ |\ 0 \\
\hline
\end{array}
$$

⑤
$$
\begin{array}{r}
2\ |\ 3 \\
+\ 6\ |\ 5 \\
\hline
\end{array}
$$

⑥
$$
\begin{array}{r}
6\ |\ 3 \\
+\ 1\ |\ 3 \\
\hline
\end{array}
$$

⑦
$$
\begin{array}{r}
5\ |\ 7 \\
+\ 3\ |\ 2 \\
\hline
\end{array}
$$

⑧
$$
\begin{array}{r}
2\ |\ 1 \\
+\ 3\ |\ 4 \\
\hline
\end{array}
$$

🔔 계산해 보세요.

①
$$\begin{array}{r} 6\ 3 \\ +\ 2\ 5 \\ \hline \end{array}$$
63 + 25 =

②
$$\begin{array}{r} 3\ 7 \\ +\ 4\ 2 \\ \hline \end{array}$$
37 + 42 =

③
$$\begin{array}{r} 3\ 9 \\ +\ 6\ 0 \\ \hline \end{array}$$
39 + 60 =

④
$$\begin{array}{r} 5\ 1 \\ +\ 2\ 5 \\ \hline \end{array}$$
51 + 25 =

⑤
$$\begin{array}{r} 3\ 2 \\ +\ 2\ 1 \\ \hline \end{array}$$
32 + 21 =

⑥
$$\begin{array}{r} 7\ 0 \\ +\ 1\ 6 \\ \hline \end{array}$$
70 + 16 =

⑦
$$\begin{array}{r} 6\ 2 \\ +\ 1\ 4 \\ \hline \end{array}$$
62 + 14 =

⑧
$$\begin{array}{r} 7\ 1 \\ +\ 1\ 6 \\ \hline \end{array}$$
71 + 16 =

두 막대의 수를 더해 보세요.

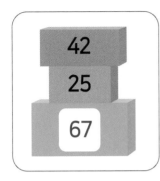
42
25
67

①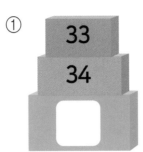
33
34

②
17
32

③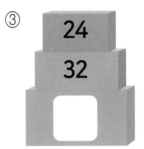
24
32

④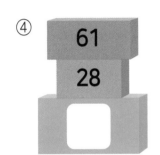
61
28

⑤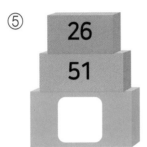
26
51

⑥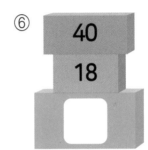
40
18

⑦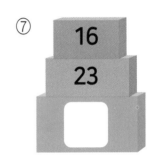
16
23

⑧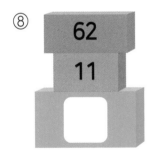
62
11

⑨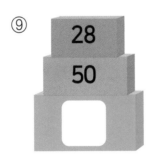
28
50

⑩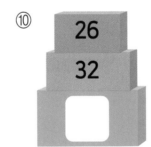
26
32

⑪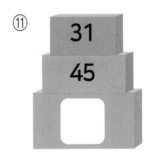
31
45

⑫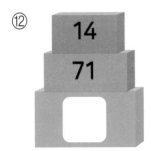
14
71

⑬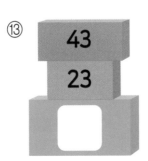
43
23

⑭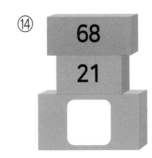
68
21

⑮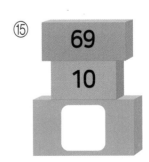
69
10

주차 건물에 층별로 주차가 가능한 자동차 수가 디지털 숫자로 표시되어 있습니다.

주차 건물에 주차가 가능한 자동차 수의 합을 구하세요. 단, 디지털 숫자로 적지 않아도 됩니다.

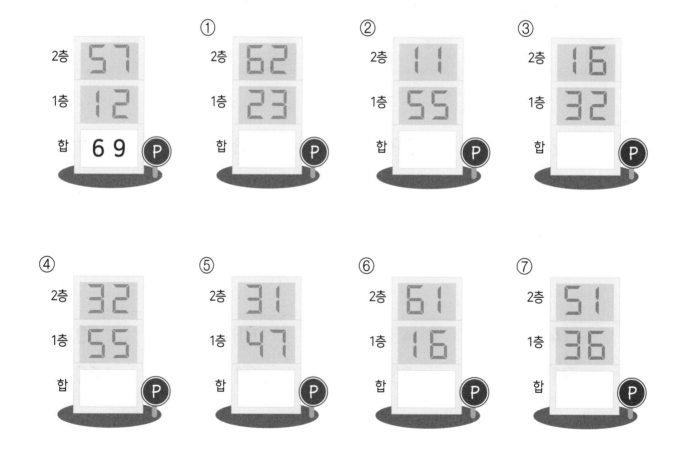

주차 건물에 주차가 가능한 자동차 수의 합을 구하세요.

① 2층 **64** 1층 **23** 합 ⓟ

② 2층 **46** 1층 **31** 합 ⓟ

③ 2층 **80** 1층 **15** 합 ⓟ

④ 2층 **45** 1층 **23** 합 ⓟ

⑤ 2층 **75** 1층 **23** 합 ⓟ

⑥ 2층 **36** 1층 **30** 합 ⓟ

⑦ 2층 **13** 1층 **52** 합 ⓟ

⑧ 2층 **72** 1층 **13** 합 ⓟ

⑨ 2층 **41** 1층 **47** 합 ⓟ

⑩ 2층 **34** 1층 **24** 합 ⓟ

⑪ 2층 **23** 1층 **60** 합 ⓟ

⑫ 2층 **24** 1층 **62** 합 ⓟ

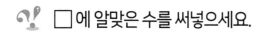 □에 알맞은 수를 써넣으세요.

30 + 28 = □
+
20
=
20 + □ = □

20   20
+   +
46 + 30 = □
=   =
□   □

30   10
+   +
57 + 10 = □
=   =
□   □

24 + 30 = □
+
22
=
16 + □ = □

16 + 40 = □
+
13
=
22 + □ = □

50   40
+   +
34 + 20 = □
=   =
□   □

글과 그림을 보고 물음에 알맞은 식을 세우고 답을 구하세요.

학교 체육대회 도중에 하늘에 빨간색 풍선 16개, 파란색 풍선 22개, 노란색 풍선 13개가 날아가고 있습니다.

★ 하늘에 날아가는 빨간색과 파란색 풍선은 모두 몇 개일까요?

식 :   16 + 22 = 38   답 :   38   개

① 하늘에 날아가는 빨간색과 노란색 풍선은 모두 몇 개일까요?

식 : _____ 답 : _____ 개

 문제를 읽고 알맞은 식과 답을 써 보세요.

① 어머니께서는 사과 13개, 아버지께서는 딸기 36개를 사 오셨습니다. 부모님이 사 오신 사과와 딸기는 모두 몇 개일까요?

식 : _____   답 : _____ 개

② 준호는 어제와 오늘 도토리를 주웠는데 어제는 24개를 주웠고 오늘은 어제 주운 것보다 30개를 더 주웠습니다. 준호가 오늘 주운 도토리는 모두 몇 개일까요?

식 : _____   답 : _____ 개

문제를 읽고 알맞은 식과 답을 써 보세요.

① 성현이는 위인전을 어제부터 읽기 시작해서 어제는 36쪽, 오늘은 22쪽을 읽었습니다. 지금까지 읽은 위인전은 모두 몇 쪽일까요?

식 : _____   답 : _____ 쪽

② 색종이를 접어 학을 20개, 거북이를 32개 만들었습니다. 모두 몇 장의 색종이를 사용 하였을까요?

식 : _____   답 : _____ 장

③ 민성이는 36개의 사탕을 가지고 있는데 성현이는 민성이보다 42개의 사탕을 더 가지 고 있습니다. 성현이가 가지고 있는 사탕은 모두 몇 개일까요?

식 : _____   답 : _____ 개

문제를 읽고 알맞은 식과 답을 써 보세요.

① 윗몸 일으키기를 했는데 민수는 28번, 상철이는 31번, 성현이는 21번을 했습니다. 민수와 성현이가 한 윗몸 일으키기를 합하면 모두 몇 번일까요?

식 : _____ 답 : _____ 번

② 양계장에 닭이 52마리, 병아리가 37마리 있습니다. 양계장에 있는 닭과 병아리는 모두 몇 마리일까요?

식 : _____ 답 : _____ 마리

③ 성호네 반 학생은 모두 31명이고 수호네 반 학생은 모두 27명입니다. 성호와 수호네 반 학생들이 모두 영화를 보러 간다면 극장 좌석을 몇 개 예매해야 할까요?

식 : _____ 답 : _____ 개

· **3**주차 ·

도전! 계산왕

받아올림 없는 두 자리 수 덧셈

🦎 계산해 보세요.

① 84 + 12 =

② 28 + 61 =

③ 21 + 45 =

④ 78 + 21 =

⑤ 52 + 21 =

⑥ 25 + 14 =

⑦ 36 + 41 =

⑧ 10 + 64 =

⑨ 43 + 25 =

⑩ 39 + 50 =

⑪ 62 + 31 =

⑫ 26 + 13 =

⑬
```
    7 4
  + 2 5
```

⑭
```
    1 1
  + 4 6
```

⑮
```
    3 5
  + 4 4
```

⑯
```
    3 0
  + 6 3
```

⑰
```
    5 5
  + 4 3
```

⑱
```
    6 5
  + 2 1
```

⑲
```
    7 6
  + 2 3
```

⑳
```
    5 6
  + 3 2
```

1일 ❷ 받아올림 없는 두 자리 수 덧셈

계산해 보세요.

① $10 + 38 =$

② $48 + 31 =$

③ $32 + 61 =$

④ $83 + 11 =$

⑤ $65 + 33 =$

⑥ $57 + 12 =$

⑦ $44 + 32 =$

⑧ $72 + 16 =$

⑨ $31 + 31 =$

⑩ $53 + 44 =$

⑪ $65 + 32 =$

⑫ $17 + 82 =$

⑬
$$\begin{array}{r} 4\ 2 \\ +\ 3\ 4 \\ \hline \end{array}$$

⑭
$$\begin{array}{r} 3\ 2 \\ +\ 3\ 5 \\ \hline \end{array}$$

⑮
$$\begin{array}{r} 5\ 2 \\ +\ 1\ 3 \\ \hline \end{array}$$

⑯
$$\begin{array}{r} 7\ 6 \\ +\ 1\ 2 \\ \hline \end{array}$$

⑰
$$\begin{array}{r} 6\ 2 \\ +\ 1\ 1 \\ \hline \end{array}$$

⑱
$$\begin{array}{r} 2\ 5 \\ +\ 1\ 3 \\ \hline \end{array}$$

⑲
$$\begin{array}{r} 7\ 4 \\ +\ 2\ 5 \\ \hline \end{array}$$

⑳
$$\begin{array}{r} 4\ 1 \\ +\ 2\ 3 \\ \hline \end{array}$$

받아올림 없는 두 자리 수 덧셈

🐌 계산해 보세요.

① 52 + 47 =

② 13 + 12 =

③ 27 + 31 =

④ 21 + 66 =

⑤ 48 + 41 =

⑥ 56 + 33 =

⑦ 61 + 25 =

⑧ 78 + 21 =

⑨ 43 + 44 =

⑩ 74 + 23 =

⑪ 52 + 31 =

⑫ 75 + 14 =

⑬
```
   7 1
+  1 4
-------
```

⑭
```
   3 2
+  4 3
-------
```

⑮
```
   4 7
+  1 2
-------
```

⑯
```
   2 1
+  3 5
-------
```

⑰
```
   2 3
+  5 1
-------
```

⑱
```
   7 6
+  1 2
-------
```

⑲
```
   8 8
+  1 1
-------
```

⑳
```
   3 2
+  6 7
-------
```

2일 ❷

받아올림 없는 두 자리 수 덧셈

😊 계산해 보세요.

① $73 + 21 =$

② $63 + 15 =$

③ $62 + 14 =$

④ $65 + 24 =$

⑤ $84 + 12 =$

⑥ $71 + 12 =$

⑦ $62 + 33 =$

⑧ $83 + 11 =$

⑨ $62 + 15 =$

⑩ $54 + 42 =$

⑪ $14 + 75 =$

⑫ $41 + 38 =$

⑬
$$\begin{array}{r} 8\ 7 \\ +\ 1\ 1 \\ \hline \end{array}$$

⑭
$$\begin{array}{r} 4\ 1 \\ +\ 2\ 4 \\ \hline \end{array}$$

⑮
$$\begin{array}{r} 1\ 7 \\ +\ 5\ 2 \\ \hline \end{array}$$

⑯
$$\begin{array}{r} 6\ 0 \\ +\ 2\ 9 \\ \hline \end{array}$$

⑰
$$\begin{array}{r} 5\ 2 \\ +\ 2\ 1 \\ \hline \end{array}$$

⑱
$$\begin{array}{r} 3\ 4 \\ +\ 4\ 2 \\ \hline \end{array}$$

⑲
$$\begin{array}{r} 3\ 2 \\ +\ 3\ 4 \\ \hline \end{array}$$

⑳
$$\begin{array}{r} 6\ 6 \\ +\ 3\ 1 \\ \hline \end{array}$$

받아올림 없는 두 자리 수 덧셈

 계산해 보세요.

① 71 + 28 =

② 17 + 41 =

③ 36 + 51 =

④ 43 + 32 =

⑤ 38 + 50 =

⑥ 87 + 12 =

⑦ 67 + 21 =

⑧ 32 + 15 =

⑨ 34 + 25 =

⑩ 49 + 30 =

⑪ 65 + 34 =

⑫ 24 + 52 =

⑬
```
   5 4
 + 2 2
-------
```

⑭
```
   1 5
 + 2 1
-------
```

⑮
```
   3 4
 + 3 2
-------
```

⑯
```
   6 7
 + 2 2
-------
```

⑰
```
   4 7
 + 4 1
-------
```

⑱
```
   2 6
 + 5 2
-------
```

⑲
```
   7 6
 + 1 2
-------
```

⑳
```
   6 7
 + 1 2
-------
```

3일 ❷ 받아올림 없는 두 자리 수 덧셈

❓ 계산해 보세요.

① $48 + 21 =$

② $41 + 44 =$

③ $22 + 34 =$

④ $67 + 22 =$

⑤ $44 + 23 =$

⑥ $42 + 57 =$

⑦ $22 + 61 =$

⑧ $32 + 64 =$

⑨ $51 + 32 =$

⑩ $62 + 37 =$

⑪ $64 + 31 =$

⑫ $34 + 43 =$

⑬ $\begin{array}{r} 46 \\ + 53 \\ \hline \end{array}$

⑭ $\begin{array}{r} 31 \\ + 14 \\ \hline \end{array}$

⑮ $\begin{array}{r} 45 \\ + 20 \\ \hline \end{array}$

⑯ $\begin{array}{r} 24 \\ + 73 \\ \hline \end{array}$

⑰ $\begin{array}{r} 70 \\ + 12 \\ \hline \end{array}$

⑱ $\begin{array}{r} 55 \\ + 24 \\ \hline \end{array}$

⑲ $\begin{array}{r} 62 \\ + 35 \\ \hline \end{array}$

⑳ $\begin{array}{r} 86 \\ + 12 \\ \hline \end{array}$

받아올림 없는 두 자리 수 덧셈

🐰 계산해 보세요.

① $24 + 55 =$ ② $27 + 22 =$ ③ $60 + 22 =$

④ $14 + 82 =$ ⑤ $74 + 11 =$ ⑥ $38 + 41 =$

⑦ $22 + 77 =$ ⑧ $45 + 52 =$ ⑨ $42 + 34 =$

⑩ $44 + 31 =$ ⑪ $86 + 12 =$ ⑫ $64 + 34 =$

⑬
$$\begin{array}{r} 4\ 4 \\ +\ 4\ 3 \\ \hline \end{array}$$

⑭
$$\begin{array}{r} 4\ 1 \\ +\ 2\ 8 \\ \hline \end{array}$$

⑮
$$\begin{array}{r} 8\ 2 \\ +\ 1\ 5 \\ \hline \end{array}$$

⑯
$$\begin{array}{r} 2\ 8 \\ +\ 6\ 1 \\ \hline \end{array}$$

⑰
$$\begin{array}{r} 6\ 6 \\ +\ 3\ 2 \\ \hline \end{array}$$

⑱
$$\begin{array}{r} 7\ 6 \\ +\ 2\ 3 \\ \hline \end{array}$$

⑲
$$\begin{array}{r} 3\ 2 \\ +\ 6\ 1 \\ \hline \end{array}$$

⑳
$$\begin{array}{r} 1\ 6 \\ +\ 2\ 2 \\ \hline \end{array}$$

4일 ❷

받아올림 없는 두 자리 수 덧셈

계산해 보세요.

① 83 + 14 =

② 18 + 21 =

③ 62 + 31 =

④ 52 + 37 =

⑤ 72 + 27 =

⑥ 54 + 12 =

⑦ 26 + 71 =

⑧ 51 + 43 =

⑨ 34 + 32 =

⑩ 86 + 13 =

⑪ 35 + 24 =

⑫ 22 + 77 =

⑬
```
   3 8
+  5 1
```

⑭
```
   7 4
+  2 3
```

⑮
```
   6 5
+  1 2
```

⑯
```
   6 1
+  2 4
```

⑰
```
   2 6
+  4 3
```

⑱
```
   5 5
+  3 2
```

⑲
```
   3 4
+  1 5
```

⑳
```
   2 1
+  7 2
```

5일 ❶

받아올림 없는 두 자리 수 덧셈

✏️ 계산해 보세요.

① 76 + 12 =

② 78 + 21 =

③ 25 + 14 =

④ 54 + 41 =

⑤ 25 + 13 =

⑥ 80 + 19 =

⑦ 10 + 48 =

⑧ 38 + 21 =

⑨ 73 + 13 =

⑩ 24 + 11 =

⑪ 45 + 13 =

⑫ 56 + 31 =

⑬
```
   7 7
+ 1 2
```

⑭
```
   1 6
+ 8 2
```

⑮
```
   4 7
+ 2 2
```

⑯
```
   3 7
+ 1 2
```

⑰
```
   2 4
+ 6 5
```

⑱
```
   5 7
+ 4 2
```

⑲
```
   6 6
+ 2 1
```

⑳
```
   2 7
+ 5 2
```

5일 ❷

받아올림 없는 두 자리 수 덧셈

🐱 계산해 보세요.

① 35 + 24 =

② 65 + 23 =

③ 84 + 14 =

④ 57 + 32 =

⑤ 43 + 42 =

⑥ 13 + 64 =

⑦ 53 + 15 =

⑧ 28 + 51 =

⑨ 33 + 36 =

⑩ 46 + 23 =

⑪ 32 + 55 =

⑫ 37 + 41 =

⑬
```
  5 8
+ 2 1
```

⑭
```
  3 5
+ 4 2
```

⑮
```
  5 3
+ 1 3
```

⑯
```
  7 0
+ 1 8
```

⑰
```
  2 3
+ 4 3
```

⑱
```
  5 6
+ 2 0
```

⑲
```
  8 6
+ 1 3
```

⑳
```
  3 4
+ 2 3
```

4주차

(두 자리)-(한 자리)와 (몇십)-(몇십)

수 막대를 보면서 (몇십)-(몇십), 받아내림 없는 (몇십몇)-(몇)의 계산 방법과 원리를 이해합니다. 두 자리 덧셈, 뺄셈은 가로셈을 많이 해 보는 것이 중요하지만 각 자릿수별로 나누어 빼는 원리를 강조하기 위해서 세로셈을 다루게 됩니다.

💡 수 모형을 보고 ☐ 에 알맞은 수를 써넣으세요.

①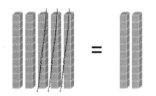

$$50 - 30 = \boxed{}$$

②

$$60 - 20 = \boxed{}$$

③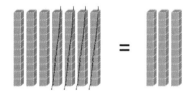

$$70 - 40 = \boxed{}$$

④

$$30 - 10 = \boxed{}$$

⑤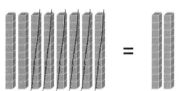

$$80 - 60 = \boxed{}$$

⑥

$$50 - 10 = \boxed{}$$

⑦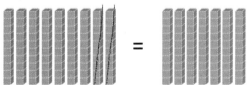

$$90 - 20 = \boxed{}$$

⑧

$$80 - 30 = \boxed{}$$

계산해 보세요.

① 80 – 30 =

② 20 – 10 =

③ 60 – 20 =

④ 90 – 30 =

⑤ 40 – 20 =

⑥ 70 – 50 =

⑦ 50 – 20 =

⑧ 80 – 20 =

⑨ 90 – 20 =

⑩ 70 – 20 =

⑪ 60 – 30 =

⑫ 30 – 10 =

⑬ 80 – 40 =

⑭ 90 – 50 =

⑮ 30 – 20 =

⑯ 60 – 10 =

수 모형을 보고 ☐에 알맞은 수를 써넣으세요.

①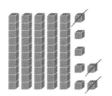

$$57 - 3 = \boxed{}$$

②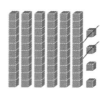

$$64 - 2 = \boxed{}$$

③

$$39 - 5 = \boxed{}$$

④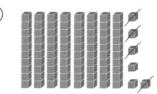

$$86 - 4 = \boxed{}$$

⑤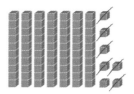

$$77 - 6 = \boxed{}$$

⑥

$$49 - 9 = \boxed{}$$

⑦

$$18 - 1 = \boxed{}$$

⑧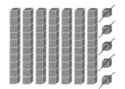

$$75 - 5 = \boxed{}$$

계산해 보세요.

① 28 - 3 =

② 67 - 2 =

③ 98 - 4 =

④ 17 - 3 =

⑤ 89 - 6 =

⑥ 77 - 5 =

⑦ 79 - 8 =

⑧ 49 - 9 =

⑨ 27 - 1 =

⑩ 37 - 2 =

⑪ 68 - 7 =

⑫ 35 - 1 =

⑬ 47 - 7 =

⑭ 54 - 3 =

⑮ 85 - 3 =

⑯ 38 - 4 =

규칙에 맞게 빈 곳에 수를 써넣으세요.

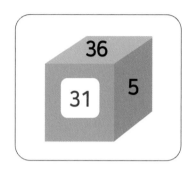

36
31 5

①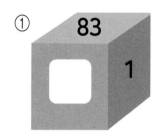

83
1

②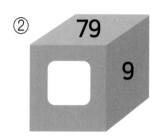

79
9

③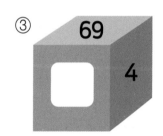

69
4

④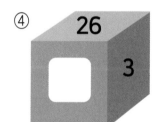

26
3

⑤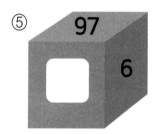

97
6

⑥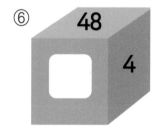

48
4

⑦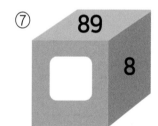

89
8

⑧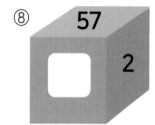

57
2

⑨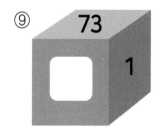

73
1

⑩

19
7

⑪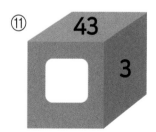

43
3

세로셈

❓ 세로셈으로 뺄셈을 하는 방법을 보고 ☐에 알맞은 수를 써넣으세요.

```
    6 0              6 0              6 0
  - 4 0     ➡      - 4 0     ➡      - 4 0
  ───────          ─────────        ─────────
                       0              2 0


    3 8              3 8              3 8
  -   5     ➡      -   5     ➡      -   5
  ───────          ─────────        ─────────
                       3              3 3
```

①
```
  9 0
- 4 0
───────
```

②
```
  7 0
- 1 0
───────
```

③
```
  5 0
- 3 0
───────
```

④
```
  6 0
- 2 0
───────
```

⑤
```
  5 3
-   3
───────
```

⑥
```
  6 7
-   5
───────
```

⑦
```
  7 6
-   4
───────
```

⑧
```
  3 9
-   3
───────
```

①
$$\begin{array}{r} 8\ 0 \\ -\ 4\ 0 \\ \hline \end{array}$$
80 − 40 =

②
$$\begin{array}{r} 3\ 9 \\ -\ \ \ 7 \\ \hline \end{array}$$
39 − 7 =

③
$$\begin{array}{r} 9\ 0 \\ -\ 3\ 0 \\ \hline \end{array}$$
90 − 30 =

④
$$\begin{array}{r} 6\ 7 \\ -\ \ \ 1 \\ \hline \end{array}$$
67 − 1 =

⑤
$$\begin{array}{r} 9\ 8 \\ -\ \ \ 3 \\ \hline \end{array}$$
98 − 3 =

⑥
$$\begin{array}{r} 7\ 0 \\ -\ 5\ 0 \\ \hline \end{array}$$
70 − 50 =

⑦
$$\begin{array}{r} 2\ 6 \\ -\ \ \ 5 \\ \hline \end{array}$$
26 − 5 =

⑧
$$\begin{array}{r} 4\ 0 \\ -\ 2\ 0 \\ \hline \end{array}$$
40 − 20 =

규칙에 맞게 빈 곳에 수를 써넣으세요.

	7	0
	3	0
70 - 30 =	4	0

	3	8
	★	3
38 - 3 =	3	5

①
7	6
★	1

②
5	0
1	0

③
8	0
1	0

④
4	7
★	7

⑤
5	0
4	0

⑥
8	9
★	5

⑦
6	9
★	5

⑧
8	0
4	0

⑨
9	4
★	2

⑩
7	5
★	4

두 모양이 나타내는 수의 차를 겹치는 부분에 써넣으세요.

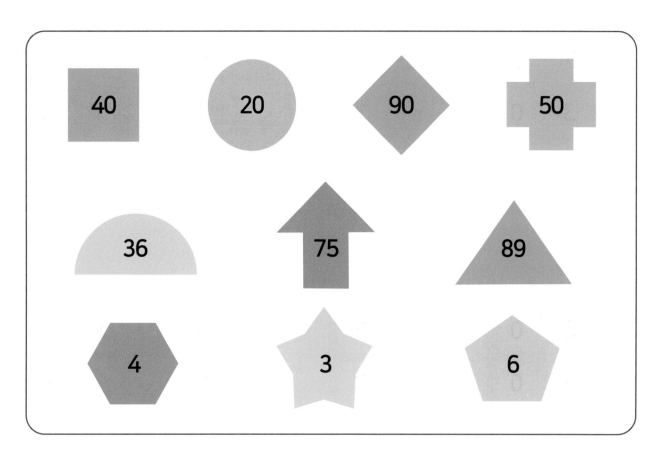

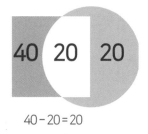

40 - 20 = 20

①

②

두 모양이 나타내는 수의 차를 겹치는 부분에 써넣으세요.

①

②

③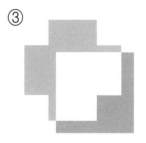

④

⑤

⑥

⑦

⑧

⑨

⑩

⑪

두 사람이 가지고 있는 물건의 개수를 보고, 누가 몇 개를 더 가지고 있는지 ☐ 를 알맞게 채워 보세요.

진수 :30개 성아 :20개

┌─────┐   ┌─────┐
│ 진수 │ 가 │ 10 │ 개를
└─────┘   └─────┘
더 가지고 있습니다.

①

진수 :29개 성아 :7개

┌─────┐   ┌─────┐
│   │ 가 │   │ 개를
└─────┘   └─────┘
더 가지고 있습니다.

②

진수 :10개 성아 :30개

┌─────┐   ┌─────┐
│   │ 가 │   │ 개를
└─────┘   └─────┘
더 가지고 있습니다.

③

진수 :38자루 성아 :4자루

┌─────┐   ┌─────┐
│   │ 가 │   │ 자루를
└─────┘   └─────┘
더 가지고 있습니다.

④

진수 :40개 성아 :50개

┌─────┐   ┌─────┐
│   │ 가 │   │ 개를
└─────┘   └─────┘
더 가지고 있습니다.

⑤

진수 :3개 성아 :67개

┌─────┐   ┌─────┐
│   │ 가 │   │ 개를
└─────┘   └─────┘
더 가지고 있습니다.

문장제

글과 그림을 보고 물음에 알맞은 식을 세우고 답을 구하세요.

영주는 사탕 50개를 가지고 있고 철희는 사탕 46개를 가지고 있습니다. 영주는 20개의 사탕을 친구에게 주었고, 철희는 5개의 사탕을 먹었습니다.

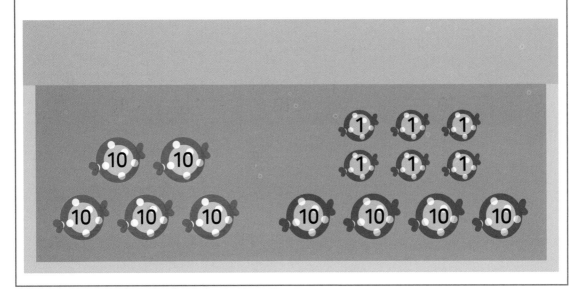

★ 영주에게 남은 사탕은 몇 개일까요?

식 : 50 - 20 = 30   답 :   30   개

① 철희에게 남은 사탕은 몇 개일까요?

식 : _____   답 : _____ 개

 문제를 읽고 알맞은 식과 답을 써 보세요.

① 어느 어촌에 배가 30척 있었는데 10척만 남겨 놓고 나머지 배들은 모두 바다로 물고기를 잡으러 나갔습니다. 물고기를 잡으러 나간 배는 모두 몇 척일까요?

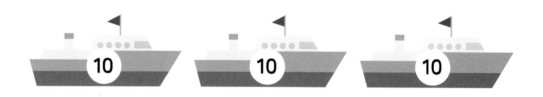

식 : _____   답 : _____ 척

② 어머니께서 사과 37개를 사 오셨는데 바로 사과 6개를 먹었습니다. 남아 있는 사과는 모두 몇 개일까요?

식 : _____   답 : _____ 개

문제를 읽고 알맞은 식과 답을 써 보세요.

① 민섭이네 학년에는 남학생이 80명, 여학생이 70명 있습니다. 남학생에게는 파란색 사탕을, 여학생에게는 빨간색 사탕을 하나씩 준다면 파란색 사탕을 빨간색 사탕보다 몇 개 더 준비해야 할까요?

식 : _____ 답 : _____ 개

② 닭장 안에 60마리의 닭이 있었는데 20마리의 닭이 먼저 모이를 먹으러 나왔습니다. 닭장 안에 남아 있는 닭은 모두 몇 마리일까요?

식 : _____ 답 : _____ 마리

③ 색종이 80장이 있는데 친구들과 색종이를 이용하여 종이학 30개를 접었습니다. 남은 색종이는 몇 장일까요?

식 : _____ 답 : _____ 장

문제를 읽고 알맞은 식과 답을 써 보세요.

① 28마리의 비둘기가 모여서 모이를 먹고 있다가 6마리가 갑자기 날아갔습니다. 아직 모이를 먹고 있는 비둘기는 몇 마리일까요?

식 : _____ 답 : _____ 마리

② 8살인 민수에게는 69살이신 할아버지가 있습니다. 민수네 할아버지는 민수보다 몇 살이 더 많을까요?

식 : _____ 답 : _____ 살

③ 같은 동화책을 한철이는 89쪽까지, 민정이는 7쪽까지 읽었습니다. 민정이가 한철이가 읽은 곳까지 보려면 앞으로 몇 쪽을 더 읽어야 할까요?

식 : _____ 답 : _____ 쪽

• **5**주차 •
(두 자리)-(두 자리)

(몇십몇)-(몇십)과 받아내림 없는 (몇십몇)-(몇십몇)의 계산 과정에 대하여 공부합니다. 받아내림이 없기 때문에 각 자리마다 따로 계산하는 것을 여러 가지 방법과 다양한 소재로 연습합니다.

공부한 날!

월   일

동영상 해설

수 모형을 보고 ☐에 알맞은 수를 써넣으세요.

①   67 − 20 = ☐

②   54 − 30 = ☐

③   85 − 60 = ☐

④   41 − 10 = ☐

⑤   76 − 50 = ☐

⑥   83 − 70 = ☐

⑦   62 − 30 = ☐

⑧   49 − 30 = ☐

😮 계산해 보세요.

① 73 - 20 =

② 84 - 50 =

③ 33 - 10 =

④ 99 - 40 =

⑤ 91 - 80 =

⑥ 77 - 30 =

⑦ 48 - 30 =

⑧ 81 - 60 =

⑨ 88 - 50 =

⑩ 86 - 30 =

⑪ 78 - 40 =

⑫ 42 - 10 =

⑬ 79 - 10 =

⑭ 64 - 10 =

⑮ 67 - 30 =

⑯ 49 - 10 =

(몇십몇)-(몇십몇)

🎵 수 모형을 보고 ☐에 알맞은 수를 써넣으세요.

① $56 - 32 = \boxed{}$

② $74 - 53 = \boxed{}$

③ $38 - 18 = \boxed{}$

④ $77 - 26 = \boxed{}$

⑤ $85 - 51 = \boxed{}$

⑥ $64 - 21 = \boxed{}$

⑦ $69 - 47 = \boxed{}$

⑧ $38 - 17 = \boxed{}$

🐹 계산해 보세요.

① 49 − 24 =

② 77 − 46 =

③ 38 − 16 =

④ 47 − 21 =

⑤ 89 − 33 =

⑥ 74 − 64 =

⑦ 26 − 11 =

⑧ 75 − 52 =

⑨ 55 − 35 =

⑩ 84 − 63 =

⑪ 94 − 71 =

⑫ 49 − 27 =

⑬ 67 − 16 =

⑭ 96 − 45 =

⑮ 86 − 41 =

⑯ 73 − 42 =

이웃한 두 수의 차를 아래 칸에 적어 보세요.

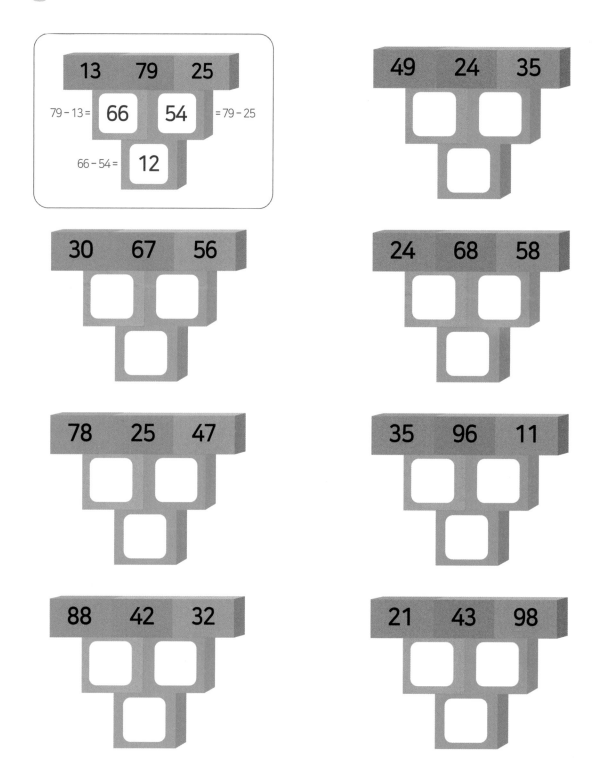

13　79　25

79 - 13 = 66　54 = 79 - 25

66 - 54 = 12

49　24　35

30　67　56

24　68　58

78　25　47

35　96　11

88　42　32

21　43　98

세로셈

세로셈으로 뺄셈을 하는 방법을 보고 ☐에 알맞은 수를 써넣으세요.

```
    5  4          5 | 4          5 | 4
  - 2  0     ➡  - 2 | 0     ➡  - 2 | 0
  ────────        ──┼──          ──┼──
                      | 4          3 | 4


    4  6          4 | 6          4 | 6
  - 3  2     ➡  - 3 | 2     ➡  - 3 | 2
  ────────        ──┼──          ──┼──
                      | 4          1 | 4
```

①
```
  8 | 7
- 3 | 5
──┼──
```

②
```
  4 | 9
- 1 | 8
──┼──
```

③
```
  9 | 3
- 7 | 0
──┼──
```

④
```
  6 | 4
- 1 | 4
──┼──
```

⑤
```
  4 | 5
- 2 | 1
──┼──
```

⑥
```
  8 | 8
- 2 | 3
──┼──
```

⑦
```
  7 | 2
- 5 | 1
──┼──
```

⑧
```
  5 | 9
- 2 | 6
──┼──
```

계산해 보세요.

①
$$\begin{array}{r} 7\ 7 \\ -\ 2\ 4 \\ \hline \end{array}$$
77 - 24 =

②
$$\begin{array}{r} 4\ 6 \\ -\ 1\ 0 \\ \hline \end{array}$$
46 - 10 =

③
$$\begin{array}{r} 8\ 7 \\ -\ 4\ 7 \\ \hline \end{array}$$
87 - 47 =

④
$$\begin{array}{r} 6\ 5 \\ -\ 1\ 1 \\ \hline \end{array}$$
65 - 11 =

⑤
$$\begin{array}{r} 7\ 4 \\ -\ 6\ 0 \\ \hline \end{array}$$
74 - 60 =

⑥
$$\begin{array}{r} 5\ 9 \\ -\ 2\ 8 \\ \hline \end{array}$$
59 - 28 =

⑦
$$\begin{array}{r} 9\ 3 \\ -\ 7\ 1 \\ \hline \end{array}$$
93 - 71 =

⑧
$$\begin{array}{r} 6\ 9 \\ -\ 2\ 2 \\ \hline \end{array}$$
69 - 22 =

두 연필의 수의 차를 구하세요.

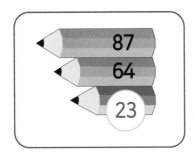

①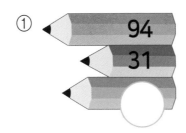

②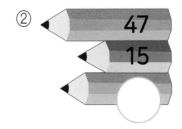

③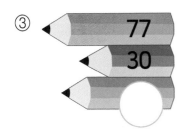

④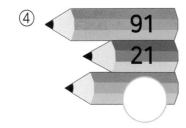

⑤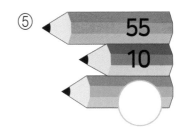

⑥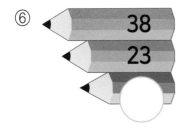

⑦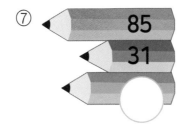

⑧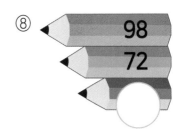

⑨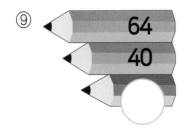

⑩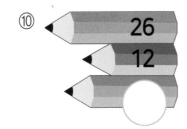

⑪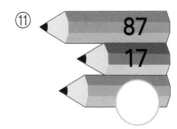

주차 건물에 층별로 주차가 가능한 자동차 수가 디지털 숫자로 표시되어 있습니다.

★ 주차가 가능한 자동차 수의 합에서 2층의 자동차 수를 빼서 1층에 주차 가능한 자동차 수를 구하세요. 단, 디지털 숫자로 적지 않아도 됩니다.

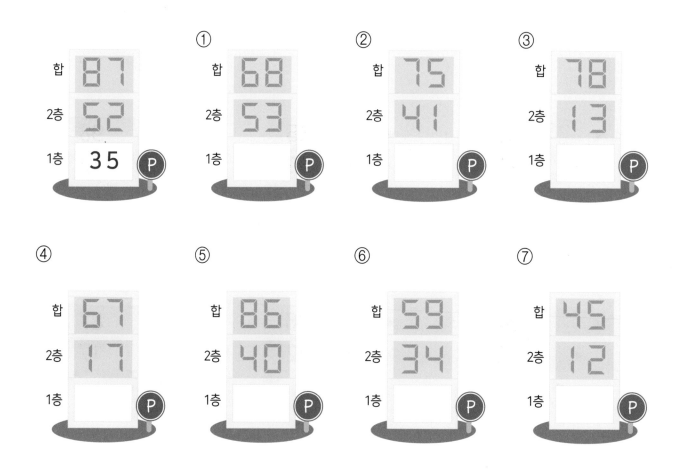

주차가 가능한 자동차 수의 합에서 2층의 자동차 수를 빼서 1층에 주차 가능한 자동차 수를 구하세요.

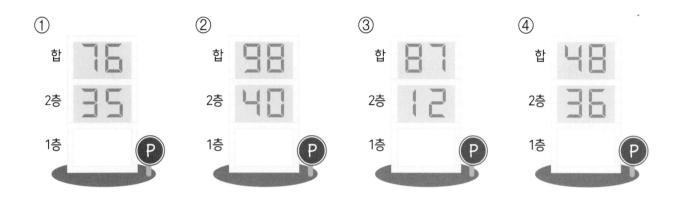

① 합 76 / 2층 35 / 1층 ⓟ

② 합 98 / 2층 40 / 1층 ⓟ

③ 합 87 / 2층 12 / 1층 ⓟ

④ 합 48 / 2층 36 / 1층 ⓟ

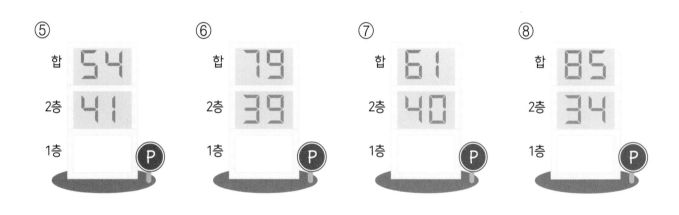

⑤ 합 54 / 2층 41 / 1층 ⓟ

⑥ 합 79 / 2층 39 / 1층 ⓟ

⑦ 합 61 / 2층 40 / 1층 ⓟ

⑧ 합 85 / 2층 34 / 1층 ⓟ

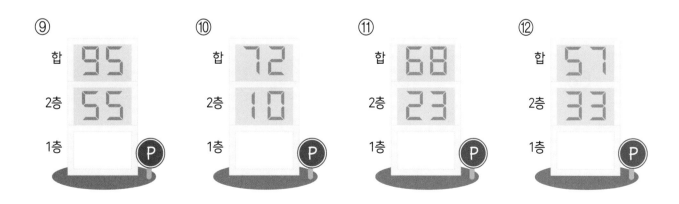

⑨ 합 95 / 2층 55 / 1층 ⓟ

⑩ 합 72 / 2층 10 / 1층 ⓟ

⑪ 합 68 / 2층 23 / 1층 ⓟ

⑫ 합 57 / 2층 33 / 1층 ⓟ

계산 결과가 올바른 것을 색칠해 보세요.

24 - 13 = 11	46 - 32 = 24	72 - 52 = 22
78 - 42 = 36	99 - 40 = 59	67 - 11 = 56
87 - 26 = 51	59 - 18 = 51	62 - 10 = 42
88 - 48 = 40	49 - 30 = 19	26 - 13 = 13
98 - 71 = 37	71 - 51 = 20	63 - 51 = 22

69 - 50 = 19	94 - 81 = 13	66 - 21 = 45
89 - 37 = 62	49 - 37 = 2	89 - 19 = 70
88 - 16 = 12	68 - 41 = 11	94 - 83 = 19
93 - 23 = 70	28 - 10 = 18	58 - 31 = 27
68 - 28 = 30	62 - 40 = 22	77 - 41 = 31

글과 그림을 보고 물음에 알맞은 식을 세우고 답을 구하세요.

> 민수와 민정이는 도넛을 사러 왔습니다. 도넛은 모두 38개가 있는데 민수는 20개, 민정이는 14개의 도넛을 골랐습니다.

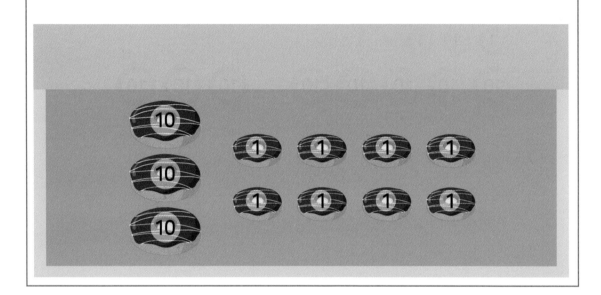

★ 민수가 골라 놓은 도넛만 사면 가게에는 몇 개의 도넛이 남을까요?

식 : ___38 - 20 = 18___　　　　답 : ___18___ 개

① 민정이가 골라 놓은 도넛만 사면 가게에는 몇 개의 도넛이 남을까요?

식 : _____　　　　답 : _____ 개

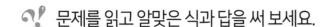 문제를 읽고 알맞은 식과 답을 써 보세요.

① 빨간색 구슬 53개와 파란색 구슬 30개가 있습니다. 빨간색 구슬 하나와 파란색 구슬 하나씩을 짝지으려고 합니다. 모두 짝짓고 나면 빨간색 구슬은 몇 개가 남을까요?

식 : _____ 답 : _____ 개

② 달걀이 27개 있었는데 15개를 삶아서 가족과 함께 먹고 나머지는 냉장고에 넣었습니다. 냉장고에 넣은 달걀은 몇 개일까요?

식 : _____ 답 : _____ 개

문제를 읽고 알맞은 식과 답을 써 보세요.

① 성미는 어제 위인전을 읽기 시작하여 40쪽까지 읽었습니다. 위인전은 모두 87쪽으로 되어 있다면 끝까지 읽기 위해서 몇 쪽을 더 읽어야 할까요?

식 : _____ 답 : _____ 쪽

② 민섭이와 미정이는 고리 던지기 놀이를 하였는데 민섭이가 27개, 미정이가 16개의 고리를 막대에 걸었습니다. 민섭이는 미정보다 몇 개의 고리를 더 걸었을까요?

식 : _____ 답 : _____ 개

③ 집 앞 놀이터에 41명의 아이들이 놀고 있었는데 잠시 후 21명이 집으로 갔습니다. 아직 놀고 있는 아이들은 몇 명일까요?

식 : _____ 답 : _____ 명

문제를 읽고 알맞은 식과 답을 써 보세요.

① 과일 가게에 사과가 88개 있었는데 하루 동안 61개의 사과를 팔았습니다. 과일 가게에 팔고 남은 사과는 몇 개일까요?

식 : _____   답 : _____ 개

② 학교 운동장에 남학생 59명과 여학생 33명이 체조를 하고 있습니다. 체조를 하고 있는 남학생은 여학생보다 몇 명이 더 많을까요?

식 : _____   답 : _____ 명

③ 성현이는 38장, 미화는 16장의 우표를 모았습니다. 미화가 성현이만큼 우표를 모으려면 몇 장을 더 모아야 할까요?

식 : _____   답 : _____ 장

• **6**주차 •

도전! 계산왕

받아내림 없는 두 자리 수 뺄셈

🐣 계산해 보세요.

① 84 - 12 =

② 61 - 20 =

③ 62 - 41 =

④ 98 - 57 =

⑤ 53 - 21 =

⑥ 25 - 14 =

⑦ 46 - 11 =

⑧ 67 - 53 =

⑨ 47 - 25 =

⑩ 39 - 26 =

⑪ 62 - 51 =

⑫ 26 - 14 =

⑬
```
   7 7
-  2 5
-------
```

⑭
```
   4 6
-  4 5
-------
```

⑮
```
   6 5
-  3 4
-------
```

⑯
```
   8 7
-  6 3
-------
```

⑰
```
   5 5
-  4 3
-------
```

⑱
```
   6 5
-  4 1
-------
```

⑲
```
   7 6
-  6 4
-------
```

⑳
```
   9 3
-  3 2
-------
```

1일 ❷ 받아내림 없는 두 자리 수 뺄셈

계산해 보세요.

① $97 - 34 =$

② $66 - 42 =$

③ $74 - 53 =$

④ $83 - 51 =$

⑤ $75 - 33 =$

⑥ $58 - 14 =$

⑦ $44 - 32 =$

⑧ $78 - 10 =$

⑨ $38 - 31 =$

⑩ $58 - 44 =$

⑪ $65 - 32 =$

⑫ $97 - 84 =$

⑬ $\begin{array}{r} 4\ 9 \\ -\ 3\ 4 \\ \hline \end{array}$

⑭ $\begin{array}{r} 7\ 9 \\ -\ 3\ 3 \\ \hline \end{array}$

⑮ $\begin{array}{r} 5\ 9 \\ -\ 1\ 7 \\ \hline \end{array}$

⑯ $\begin{array}{r} 7\ 6 \\ -\ 5\ 2 \\ \hline \end{array}$

⑰ $\begin{array}{r} 6\ 2 \\ -\ 1\ 1 \\ \hline \end{array}$

⑱ $\begin{array}{r} 2\ 5 \\ -\ 1\ 3 \\ \hline \end{array}$

⑲ $\begin{array}{r} 7\ 4 \\ -\ 4\ 1 \\ \hline \end{array}$

⑳ $\begin{array}{r} 4\ 6 \\ -\ 2\ 5 \\ \hline \end{array}$

2일 ①

받아내림 없는 두 자리 수 뺄셈

계산해 보세요.

① 52 - 40 =

② 48 - 21 =

③ 52 - 31 =

④ 78 - 66 =

⑤ 48 - 24 =

⑥ 86 - 42 =

⑦ 66 - 25 =

⑧ 78 - 21 =

⑨ 48 - 44 =

⑩ 94 - 73 =

⑪ 64 - 31 =

⑫ 75 - 53 =

⑬
```
   7 6
-  2 4
_____
```

⑭
```
   8 4
-  4 3
_____
```

⑮
```
   4 7
-  1 2
_____
```

⑯
```
   6 8
-  3 6
_____
```

⑰
```
   2 3
-  1 1
_____
```

⑱
```
   7 6
-  1 2
_____
```

⑲
```
   8 3
-  1 1
_____
```

⑳
```
   3 9
-  2 1
_____
```

2일❷

받아내림 없는 두 자리 수 뺄셈

🐧 계산해 보세요.

① $73 - 21 =$

② $67 - 43 =$

③ $68 - 23 =$

④ $69 - 24 =$

⑤ $84 - 22 =$

⑥ $76 - 42 =$

⑦ $85 - 33 =$

⑧ $46 - 11 =$

⑨ $62 - 21 =$

⑩ $54 - 42 =$

⑪ $88 - 75 =$

⑫ $89 - 38 =$

⑬
$$\begin{array}{r} 9\ 7 \\ -\ 1\ 1 \\ \hline \end{array}$$

⑭
$$\begin{array}{r} 4\ 6 \\ -\ 2\ 4 \\ \hline \end{array}$$

⑮
$$\begin{array}{r} 8\ 7 \\ -\ 6\ 3 \\ \hline \end{array}$$

⑯
$$\begin{array}{r} 9\ 9 \\ -\ 6\ 7 \\ \hline \end{array}$$

⑰
$$\begin{array}{r} 5\ 2 \\ -\ 2\ 1 \\ \hline \end{array}$$

⑱
$$\begin{array}{r} 3\ 4 \\ -\ 2\ 2 \\ \hline \end{array}$$

⑲
$$\begin{array}{r} 7\ 5 \\ -\ 6\ 1 \\ \hline \end{array}$$

⑳
$$\begin{array}{r} 6\ 8 \\ -\ 2\ 1 \\ \hline \end{array}$$

받아내림 없는 두 자리 수 뺄셈

🤔 계산해 보세요.

① 79 - 28 =

② 99 - 73 =

③ 87 - 62 =

④ 43 - 32 =

⑤ 38 - 22 =

⑥ 95 - 52 =

⑦ 67 - 21 =

⑧ 39 - 15 =

⑨ 74 - 22 =

⑩ 89 - 33 =

⑪ 69 - 48 =

⑫ 24 - 12 =

⑬
```
   5 4
 - 2 2
───────
```

⑭
```
   8 5
 - 2 1
───────
```

⑮
```
   3 4
 - 3 2
───────
```

⑯
```
   6 9
 - 2 2
───────
```

⑰
```
   4 7
 - 2 1
───────
```

⑱
```
   2 9
 - 1 1
───────
```

⑲
```
   7 9
 - 1 2
───────
```

⑳
```
   8 7
 - 1 2
───────
```

3일 ❷ 받아내림 없는 두 자리 수 뺄셈

계산해 보세요.

① $48 - 21 =$

② $59 - 44 =$

③ $77 - 34 =$

④ $67 - 41 =$

⑤ $44 - 23 =$

⑥ $42 - 31 =$

⑦ $88 - 62 =$

⑧ $54 - 42 =$

⑨ $58 - 32 =$

⑩ $78 - 57 =$

⑪ $94 - 51 =$

⑫ $84 - 43 =$

⑬
$$\begin{array}{r} 7\ 6 \\ -\ 4\ 6 \\ \hline \end{array}$$

⑭
$$\begin{array}{r} 3\ 7 \\ -\ 1\ 4 \\ \hline \end{array}$$

⑮
$$\begin{array}{r} 4\ 9 \\ -\ 2\ 6 \\ \hline \end{array}$$

⑯
$$\begin{array}{r} 8\ 8 \\ -\ 2\ 5 \\ \hline \end{array}$$

⑰
$$\begin{array}{r} 7\ 7 \\ -\ 1\ 4 \\ \hline \end{array}$$

⑱
$$\begin{array}{r} 9\ 5 \\ -\ 2\ 4 \\ \hline \end{array}$$

⑲
$$\begin{array}{r} 6\ 6 \\ -\ 4\ 4 \\ \hline \end{array}$$

⑳
$$\begin{array}{r} 4\ 5 \\ -\ 3\ 2 \\ \hline \end{array}$$

4일 **❶**

받아내림 없는 두 자리 수 뺄셈

😊 계산해 보세요.

① 84 – 52 =

② 27 – 22 =

③ 57 – 12 =

④ 94 – 82 =

⑤ 74 – 11 =

⑥ 39 – 21 =

⑦ 77 – 33 =

⑧ 65 – 52 =

⑨ 44 – 34 =

⑩ 42 – 31 =

⑪ 89 – 53 =

⑫ 64 – 13 =

⑬
$$\begin{array}{r} 9\ 4 \\ -\ 4\ 3 \\ \hline \end{array}$$

⑭
$$\begin{array}{r} 5\ 9 \\ -\ 2\ 6 \\ \hline \end{array}$$

⑮
$$\begin{array}{r} 8\ 7 \\ -\ 1\ 4 \\ \hline \end{array}$$

⑯
$$\begin{array}{r} 9\ 6 \\ -\ 6\ 2 \\ \hline \end{array}$$

⑰
$$\begin{array}{r} 6\ 6 \\ -\ 3\ 4 \\ \hline \end{array}$$

⑱
$$\begin{array}{r} 7\ 6 \\ -\ 3\ 4 \\ \hline \end{array}$$

⑲
$$\begin{array}{r} 9\ 2 \\ -\ 7\ 1 \\ \hline \end{array}$$

⑳
$$\begin{array}{r} 5\ 8 \\ -\ 2\ 7 \\ \hline \end{array}$$

받아내림 없는 두 자리 수 뺄셈

계산해 보세요.

① 88 - 14 =

② 68 - 27 =

③ 82 - 31 =

④ 59 - 37 =

⑤ 72 - 11 =

⑥ 54 - 12 =

⑦ 96 - 71 =

⑧ 57 - 43 =

⑨ 34 - 32 =

⑩ 86 - 34 =

⑪ 75 - 51 =

⑫ 22 - 11 =

⑬
```
   8 8
-  5 1
```

⑭
```
   7 6
-  2 3
```

⑮
```
   4 5
-  1 2
```

⑯
```
   5 9
-  2 4
```

⑰
```
   8 6
-  4 1
```

⑱
```
   8 7
-  6 5
```

⑲
```
   3 9
-  1 5
```

⑳
```
   4 7
-  1 5
```

받아내림 없는 두 자리 수 뺄셈

계산해 보세요.

① 76 − 42 =

② 78 − 26 =

③ 25 − 14 =

④ 74 − 61 =

⑤ 25 − 13 =

⑥ 87 − 61 =

⑦ 75 − 42 =

⑧ 38 − 25 =

⑨ 73 − 63 =

⑩ 24 − 11 =

⑪ 45 − 13 =

⑫ 96 − 31 =

⑬
$$\begin{array}{r} 7\ 7 \\ -\ 1\ 2 \\ \hline \end{array}$$

⑭
$$\begin{array}{r} 9\ 6 \\ -\ 8\ 2 \\ \hline \end{array}$$

⑮
$$\begin{array}{r} 4\ 7 \\ -\ 2\ 2 \\ \hline \end{array}$$

⑯
$$\begin{array}{r} 8\ 9 \\ -\ 1\ 2 \\ \hline \end{array}$$

⑰
$$\begin{array}{r} 8\ 9 \\ -\ 5\ 5 \\ \hline \end{array}$$

⑱
$$\begin{array}{r} 5\ 5 \\ -\ 4\ 2 \\ \hline \end{array}$$

⑲
$$\begin{array}{r} 7\ 2 \\ -\ 2\ 1 \\ \hline \end{array}$$

⑳
$$\begin{array}{r} 9\ 7 \\ -\ 1\ 1 \\ \hline \end{array}$$

5일 ❷

받아내림 없는 두 자리 수 뺄셈

🎵 계산해 보세요.

① 35 - 24 =

② 65 - 23 =

③ 84 - 44 =

④ 57 - 32 =

⑤ 73 - 42 =

⑥ 37 - 26 =

⑦ 56 - 15 =

⑧ 58 - 51 =

⑨ 93 - 51 =

⑩ 77 - 13 =

⑪ 32 - 11 =

⑫ 58 - 14 =

⑬
```
   5 8
 - 2 1
─────────
```

⑭
```
   8 5
 - 4 2
─────────
```

⑮
```
   5 7
 - 1 3
─────────
```

⑯
```
   7 9
 - 2 3
─────────
```

⑰
```
   2 3
 - 1 1
─────────
```

⑱
```
   5 6
 - 2 5
─────────
```

⑲
```
   8 9
 - 4 3
─────────
```

⑳
```
   9 6
 - 3 1
─────────
```

1000math.com

홈페이지

· 천종현수학연구소 소개 및 학습 자료 공유
· 출판 교재, 연구소 굿즈 구입

 cafe.naver.com/maths1000

네이버카페

· 다양한 이벤트 및 '천쌤수학학습단' 진행
· 학습 상담 게시판 운영

 https://www.instagram.com/
1000maths

인스타그램

· 수학고민상담소 '천쌤에게 물어보셈' 릴스 보기
· 가장 빠르게 만나는 연구소 소식 및 이벤트

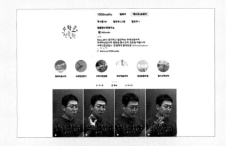

 https://www.youtube.com/
@1000math4U

유튜브

· 인스타 라이브방송 '천쌤에게 물어보셈' 다시 보기
· 고민 상담 사례 및 수학교육 기획 콘텐츠

천종현수학연구소는

유아 초등 수학 교재와 콘텐츠를 꾸준히 개발하고 있습니다. 네이버에 '천종현수학연구소'를 검색하시거나 인스타그램, 유튜브 등 다양한 채널을 통해서도 연산과 사고력 수학, 교과 심화 학습에 대한 노하우와 정보를 다양하게 제공합니다. 지금 바로 만나보세요.

SINCE 2014

천종현수학연구소 출판 교재

01

유아 자신감 수학

썼다 지웠다 붙였다 뗐다
우리 아이의 첫 수학 교재

02

TOP 사고력 수학

실력도 탑! 재미도 탑!
사고력 수학의 으뜸

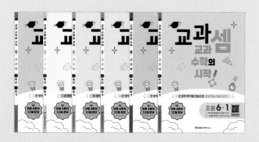

03

교과셈

사칙연산+도형, 측정, 경우의 수까지
반복 학습이 필요한 초등 연산 완성

04

따풀 수학

다양한 개념과 해결 방법을 배우는
배움이 있는 학습지

05

초등 사고력 수학의 원리/전략

진정한 수학 실력은 원리의 이해와 문제 해결 전략에서
재미있게 읽는 17년 초등 사고력 수학의 노하우!!

초등 | 수학 전문가가 만든 연산 교재

원리셈

천종현 지음

정답

1학년 1

받아올림/내림 없는 두 자리 수 덧셈, 뺄셈

천종현수학연구소

1주차 - (두 자리)+(한 자리)와
(몇십)+(몇십)

10쪽

① 45　② 36
③ 23　④ 54
⑤ 78
⑥ 96

11쪽

① 46　② 84
③ 35　④ 67
⑤ 58　⑥ 85
⑦ 35　⑧ 44
⑨ 49　⑩ 23
⑪ 91　⑫ 47
⑬ 54　⑭ 76
⑮ 27　⑯ 89

12쪽

① 50　② 70
③ 50　④ 60
⑤ 90
⑥ 90

13쪽

① 90　② 80
③ 60　④ 80
⑤ 80　⑥ 70
⑦ 90　⑧ 50
⑨ 70　⑩ 20
⑪ 80　⑫ 40
⑬ 70　⑭ 50
⑮ 90　⑯ 60

14쪽

① 38　② 56
③ 25　④ 47
⑤ 88
⑥ 79

15쪽

① 67　② 94
③ 39　④ 39
⑤ 85　⑥ 88
⑦ 59　⑧ 37
⑨ 49　⑩ 29
⑪ 98　⑫ 47
⑬ 19　⑭ 69
⑮ 39　⑯ 86

16쪽

① 57　② 62　③ 90　④ 50
⑤ 75　⑥ 88　⑦ 28　⑧ 46

17쪽

① 70　② 29
③ 48　④ 86
⑤ 75　⑥ 66
⑦ 80　⑧ 48

18쪽

　　　　① 40, 50
② 49, 47　③ 84, 86
④ 74, 79　⑤ 98, 99
⑥ 15, 16　⑦ 80, 60

19쪽

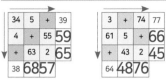

34	5	+	39
4	+	55	59
+	63	2	65
38	68	57	

3	+	74	77
61	5	+	66
+	43	2	45
64	48	76	

70	+	10	80
+	60	9	69
5	20	+	25
75	80	19	

+	30	3	33
5	+	14	19
73	1	+	74
78	31	17	

4	90	+	94
+	5	40	45
70	+	20	90
74	95	60	

+	2	60	62
3	45	+	48
82	+	7	89
85	47	67	

20쪽

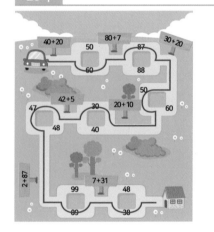

21쪽

① 12+5=17, 17

22쪽

① 11+6=17, 17
② 40+30=70, 70

23쪽

① 60+7=67, 67
② 7+22=29, 29
③ 21+5=26, 26

24쪽

① 20+9=29, 29
② 40+10=50, 50
③ 15+2=17, 17

2주차 - (두 자리)+(두 자리)

26쪽

① 55　② 62
③ 57　④ 41
⑤ 88
⑥ 83

27쪽

① 93　② 68
③ 84　④ 98
⑤ 76　⑥ 45
⑦ 83　⑧ 81
⑨ 87　⑩ 74
⑪ 95　⑫ 81
⑬ 63　⑭ 72
⑮ 76　⑯ 77

28쪽

① 39　② 55
③ 55　④ 47
⑤ 88
⑥ 96

29쪽

① 77　② 87
③ 88　④ 39
⑤ 79　⑥ 96
⑦ 69　⑧ 76
⑨ 85　⑩ 49
⑪ 83　⑫ 77
⑬ 76　⑭ 56
⑮ 79　⑯ 58

30쪽

　　① 79　② 86
③ 58　④ 69　⑤ 69
⑥ 85　⑦ 79　⑧ 86
⑨ 44　⑩ 86　⑪ 57

31쪽

① 57　② 77　③ 86　④ 69
⑤ 88　⑥ 76　⑦ 89　⑧ 55

32쪽

① 88　② 79
③ 99　④ 76
⑤ 53　⑥ 86
⑦ 76　⑧ 87

33쪽

　　① 67　② 49　③ 56
④ 89　⑤ 77　⑥ 58　⑦ 39
⑧ 73　⑨ 78　⑩ 58　⑪ 76
⑫ 85　⑬ 66　⑭ 89　⑮ 79

34쪽

　　① 85　② 66　③ 48
④ 87　⑤ 78　⑥ 77　⑦ 87

35쪽

① 87　② 77　③ 95　④ 68
⑤ 98　⑥ 66　⑦ 65　⑧ 85
⑨ 88　⑩ 58　⑪ 83　⑫ 86

36쪽

$30 + 28 = 58$
$20 + 48 = 68$

$\begin{array}{c} 30 \\ + \\ 57 + 10 = 67 \\ 87 \end{array}$　$\begin{array}{c} 10 \\ + \\ 10 \\ 77 \end{array}$

$16 + 40 = 56$
$22 + 53 = 75$　$\begin{array}{c} + \\ 13 \end{array}$

$\begin{array}{c} 20 \\ + \\ 66 \end{array}$　$\begin{array}{c} 20 \\ 46 + 30 = 76 \\ 96 \end{array}$

$24 + 30 = 54$
$16 + 52 = 68$　$\begin{array}{c} + \\ 22 \end{array}$

$\begin{array}{c} 50 \\ + \\ 34 + 20 = 54 \\ 84 \end{array}$　$\begin{array}{c} 40 \\ + \\ 94 \end{array}$

37쪽

① 16+13=29, 29

38쪽

① 13+36=49, 49
② 24+30=54, 54

39쪽

① 36+22=58, 58
② 20+32=52, 52
③ 36+42=78, 78

40쪽

① 28+21=49, 49
② 52+37=89, 89
③ 31+27=58, 58

42쪽

① 96 ② 89 ③ 66
④ 99 ⑤ 73 ⑥ 39
⑦ 77 ⑧ 74 ⑨ 68
⑩ 89 ⑪ 93 ⑫ 39
⑬ 99 ⑭ 57 ⑮ 79 ⑯ 93
⑰ 98 ⑱ 86 ⑲ 99 ⑳ 88

43쪽

① 48 ② 79 ③ 93
④ 94 ⑤ 98 ⑥ 69
⑦ 76 ⑧ 88 ⑨ 62
⑩ 97 ⑪ 97 ⑫ 99
⑬ 76 ⑭ 67 ⑮ 65 ⑯ 88
⑰ 73 ⑱ 38 ⑲ 99 ⑳ 64

44쪽

① 99 ② 25 ③ 58
④ 87 ⑤ 89 ⑥ 89
⑦ 86 ⑧ 99 ⑨ 87
⑩ 97 ⑪ 83 ⑫ 89
⑬ 85 ⑭ 75 ⑮ 59 ⑯ 56
⑰ 74 ⑱ 88 ⑲ 99 ⑳ 99

45쪽

① 94 ② 78 ③ 76
④ 89 ⑤ 96 ⑥ 83
⑦ 95 ⑧ 94 ⑨ 77
⑩ 96 ⑪ 89 ⑫ 79
⑬ 98 ⑭ 65 ⑮ 69 ⑯ 89
⑰ 73 ⑱ 76 ⑲ 66 ⑳ 97

46쪽

① 99 ② 58 ③ 87
④ 75 ⑤ 88 ⑥ 99
⑦ 88 ⑧ 47 ⑨ 59
⑩ 79 ⑪ 99 ⑫ 76
⑬ 76 ⑭ 36 ⑮ 66 ⑯ 89
⑰ 88 ⑱ 78 ⑲ 88 ⑳ 79

47쪽

① 69 ② 85 ③ 56
④ 89 ⑤ 67 ⑥ 99
⑦ 83 ⑧ 96 ⑨ 83
⑩ 99 ⑪ 95 ⑫ 77
⑬ 99 ⑭ 45 ⑮ 65 ⑯ 97
⑰ 82 ⑱ 79 ⑲ 97 ⑳ 98

48쪽

① 79 ② 49 ③ 82
④ 96 ⑤ 85 ⑥ 79
⑦ 99 ⑧ 97 ⑨ 76
⑩ 75 ⑪ 98 ⑫ 98
⑬ 87 ⑭ 69 ⑮ 97 ⑯ 89
⑰ 98 ⑱ 99 ⑲ 93 ⑳ 38

49쪽

① 97 ② 39 ③ 93
④ 89 ⑤ 99 ⑥ 66
⑦ 97 ⑧ 94 ⑨ 66
⑩ 99 ⑪ 59 ⑫ 99
⑬ 89 ⑭ 97 ⑮ 77 ⑯ 85
⑰ 69 ⑱ 87 ⑲ 49 ⑳ 93

50쪽

① 88 ② 99 ③ 39
④ 95 ⑤ 38 ⑥ 99
⑦ 58 ⑧ 59 ⑨ 86
⑩ 35 ⑪ 58 ⑫ 87
⑬ 89 ⑭ 98 ⑮ 69 ⑯ 49
⑰ 89 ⑱ 99 ⑲ 87 ⑳ 79

51쪽

① 59 ② 88 ③ 98
④ 89 ⑤ 85 ⑥ 77
⑦ 68 ⑧ 79 ⑨ 69
⑩ 69 ⑪ 87 ⑫ 78
⑬ 79 ⑭ 77 ⑮ 66 ⑯ 88
⑰ 66 ⑱ 76 ⑲ 99 ⑳ 57

54쪽

① 20 ② 40

③ 30 ④ 20

⑤ 20 ⑥ 40

⑦ 70 ⑧ 50

55쪽

① 50 ② 10

③ 40 ④ 60

⑤ 20 ⑥ 20

⑦ 30 ⑧ 60

⑨ 70 ⑩ 50

⑪ 30 ⑫ 20

⑬ 40 ⑭ 40

⑮ 10 ⑯ 50

56쪽

① 54 ② 62

③ 34 ④ 82

⑤ 71 ⑥ 40

⑦ 17 ⑧ 70

57쪽

① 25 ② 65

③ 94 ④ 14

⑤ 83 ⑥ 72

⑦ 71 ⑧ 40

⑨ 26 ⑩ 35

⑪ 61 ⑫ 34

⑬ 40 ⑭ 51

⑮ 82 ⑯ 34

58쪽

          ① 82 ② 70

③ 65 ④ 23 ⑤ 91

⑥ 44 ⑦ 81 ⑧ 55

⑨ 72 ⑩ 12 ⑪ 40

59쪽

① 50 ② 60 ③ 20 ④ 40

⑤ 51 ⑥ 62 ⑦ 72 ⑧ 36

60쪽

① 40 ② 32

③ 60 ④ 66

⑤ 95 ⑥ 20

⑦ 21 ⑧ 20

61쪽

          ① 75 ② 40

③ 70 ④ 40 ⑤ 10 ⑥ 84

⑦ 64 ⑧ 40 ⑨ 92 ⑩ 71

62쪽

① 50 ② 40

63쪽

① 30 ② 70 ③ 10

④ 32 ⑤ 72 ⑥ 85

⑦ 86 ⑧ 30 ⑨ 71

⑩ 33 ⑪ 83

① 진수, 22
② 성아, 20 ③ 진수, 34
④ 성아, 10 ⑤ 성아, 64

① 46-5=41, 41

① 30-10=20, 20
② 37-6=31, 31

① 80-70=10, 10
② 60-20=40, 40
③ 80-30=50, 50

① 28-6=22, 22
② 69-8=61, 61
③ 89-7=82, 82

5주차 - (두 자리)-(두 자리)

① 47 ② 24
③ 25 ④ 31
⑤ 26 ⑥ 13
⑦ 32 ⑧ 19

① 53 ② 34
③ 23 ④ 59
⑤ 11 ⑥ 47
⑦ 18 ⑧ 21
⑨ 38 ⑩ 56
⑪ 38 ⑫ 32
⑬ 69 ⑭ 54
⑮ 37 ⑯ 39

① 24 ② 21
③ 20 ④ 51
⑤ 34 ⑥ 43
⑦ 22 ⑧ 21

① 25 ② 31
③ 22 ④ 26
⑤ 56 ⑥ 10
⑦ 15 ⑧ 23
⑨ 20 ⑩ 21
⑪ 23 ⑫ 22
⑬ 51 ⑭ 51
⑮ 45 ⑯ 31

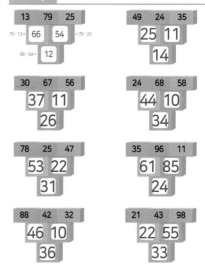

① 52 ② 31 ③ 23 ④ 50
⑤ 24 ⑥ 65 ⑦ 21 ⑧ 33

76쪽

① 53　② 36
③ 40　④ 54
⑤ 14　⑥ 31
⑦ 22　⑧ 47

77쪽

　　① 63　② 32
③ 47　④ 70　⑤ 45
⑥ 15　⑦ 54　⑧ 26
⑨ 24　⑩ 14　⑪ 70

78쪽

　　① 15　② 34　③ 65
④ 50　⑤ 46　⑥ 25　⑦ 33

79쪽

① 41　② 58　③ 75　④ 12
⑤ 13　⑥ 40　⑦ 21　⑧ 51
⑨ 40　⑩ 62　⑪ 45　⑫ 24

80쪽

	46 - 32 = 24	72 - 52 = 22
87 - 26 = 51	59 - 18 = 51	62 - 10 = 42
98 - 71 = 37		63 - 51 = 22

89 - 37 = 62	49 - 37 = 2	
88 - 16 = 12	68 - 41 = 11	94 - 83 = 19
68 - 28 = 30		77 - 41 = 31

81쪽

① 38-14=24, 24

82쪽

① 53-30=23, 23
② 27-15=12, 12

83쪽

① 87-40=47, 47
② 27-16=11, 11
③ 41-21=20, 20

84쪽

① 88-61=27, 27
② 59-33=26, 26
③ 38-16=22, 22

86쪽

① 72　② 41　③ 21
④ 41　⑤ 32　⑥ 11
⑦ 35　⑧ 14　⑨ 22
⑩ 13　⑪ 11　⑫ 12
⑬ 52　⑭ 1　⑮ 31　⑯ 24
⑰ 12　⑱ 24　⑲ 12　⑳ 61

87쪽

① 63　② 24　③ 21
④ 32　⑤ 42　⑥ 44
⑦ 12　⑧ 68　⑨ 7
⑩ 14　⑪ 33　⑫ 13
⑬ 15　⑭ 46　⑮ 42　⑯ 24
⑰ 51　⑱ 12　⑲ 33　⑳ 21

88쪽

① 12　② 27　③ 21
④ 12　⑤ 24　⑥ 44
⑦ 41　⑧ 57　⑨ 4
⑩ 21　⑪ 33　⑫ 22
⑬ 52　⑭ 41　⑮ 35　⑯ 32
⑰ 12　⑱ 64　⑲ 72　⑳ 18

① 52　② 24　③ 45
④ 45　⑤ 62　⑥ 34
⑦ 52　⑧ 35　⑨ 41
⑩ 12　⑪ 13　⑫ 51
⑬ 86　⑭ 22　⑮ 24　⑯ 32
⑰ 31　⑱ 12　⑲ 14　⑳ 47

① 51　② 26　③ 25
④ 11　⑤ 16　⑥ 43
⑦ 46　⑧ 24　⑨ 52
⑩ 56　⑪ 21　⑫ 12
⑬ 32　⑭ 64　⑮ 2　⑯ 47
⑰ 26　⑱ 18　⑲ 67　⑳ 75

① 27　② 15　③ 43
④ 26　⑤ 21　⑥ 11
⑦ 26　⑧ 12　⑨ 26
⑩ 21　⑪ 43　⑫ 41
⑬ 30　⑭ 23　⑮ 23　⑯ 63
⑰ 63　⑱ 71　⑲ 22　⑳ 13

① 32　② 5　③ 45
④ 12　⑤ 63　⑥ 18
⑦ 44　⑧ 13　⑨ 10
⑩ 11　⑪ 36　⑫ 51
⑬ 51　⑭ 33　⑮ 73　⑯ 34
⑰ 32　⑱ 42　⑲ 21　⑳ 31

① 74　② 41　③ 51
④ 22　⑤ 61　⑥ 42
⑦ 25　⑧ 14　⑨ 2
⑩ 52　⑪ 24　⑫ 11
⑬ 37　⑭ 53　⑮ 33　⑯ 35
⑰ 45　⑱ 22　⑲ 24　⑳ 32

① 34　② 52　③ 11
④ 13　⑤ 12　⑥ 26
⑦ 33　⑧ 13　⑨ 10
⑩ 13　⑪ 32　⑫ 65
⑬ 65　⑭ 14　⑮ 25　⑯ 77
⑰ 34　⑱ 13　⑲ 51　⑳ 86

① 11　② 42　③ 40
④ 25　⑤ 31　⑥ 11
⑦ 41　⑧ 7　⑨ 42
⑩ 64　⑪ 21　⑫ 44
⑬ 37　⑭ 43　⑮ 44　⑯ 56
⑰ 12　⑱ 31　⑲ 46　⑳ 65

총괄 테스트

이름 ___ 점수 ___

1권 받아올림/받아내림이 없는 두 자리 수 덧셈·뺄셈

01 계산해 보세요.
① 50 + 9 = 59   ② 30 + 40 = 70
③ 6 + 70 = 76   ④ 80 + 10 = 90

02 수 모형을 보고 빈칸에 알맞은 수를 써넣으세요.
5 + 32 = 37

03 계산해 보세요.
①
  7 0
+ 2 0
─────
  9 0

②
  5 4
+ 8 9

04 규칙에 맞게 빈 곳에 수를 써넣으세요.
66 +4 62 +7 69

05 답이 틀린 것을 찾아 바르게 고쳐 보세요.
52 + 6 = 58
30 + 60 = 90
5 + 24 = ~~74~~ 29
61 + 6 = 67

06 수 모형을 보고 빈칸에 알맞은 수를 써넣으세요.
35 + 21 = 56

07 풍선의 수를 더해 보세요.
① 37, 22 → 59
② 53, 46 → 99

08 계산해 보세요.
①
  3 7
+ 2 0
─────
  5 7

②
  1 3
+ 5 4
─────
  6 7

09 빈칸에 알맞은 수를 써넣으세요.
20 + 46 = 66
20 + 30 + 46 = 76
96

10 줄넘기를 사이에 두고 동현이는 54번, 동생이는 41번을 했습니다. 두 사람이 한 줄넘기를 합하면 모두 몇 번일까요?
식: 54 + 41 = 95
답: 95 번

11 수 모형을 보고 빈칸에 알맞은 수를 써넣으세요.
58 - 4 = 54

12 계산해 보세요.
① 88 - 5 = 83   ② 50 - 20 = 30
③ 48 - 7 = 41   ④ 80 - 40 = 40

13 규칙에 맞게 빈 곳에 수를 써넣으세요.
45, 2, 43   79, 5, 74

14 계산해 보세요.
①
  6 0
- 5 0
─────
  1 0

②
  3 8
-   6
─────
  3 2

15 두 사람이 가지고 있는 사탕의 개수를 보고, 누가 몇 개를 더 가지고 있는지 □를 알맞게 채워 보세요.
민호: 29개   지수: 7개
민호 가 22 개를 더 가지고 있습니다.

16 수 모형을 보고 빈칸에 양쪽에 알맞은 수를 써넣으세요.
38 - 25 = 13

17 계산해 보세요.
① 47 - 20 = 27   ② 93 - 70 = 23
③ 78 - 53 = 25   ④ 69 - 33 = 36

18 이웃한 두 수의 차를 아래 빈칸에 적어 보세요.
56 31 86
25 55
30

19 계산해 보세요.
①
  9 7
- 6 0
─────
  3 7

②
  7 5
- 5 1
─────
  2 4

20 민정이는 색종이 65장을 가지고 있었는데 동생에게 32장을 주었습니다. 민정이에게 남은 색종이는 몇 장일까요?
식: 65 - 32 = 33
답: 33 장

○ **마술 같은 논리 수학 매직**
전 영역에 걸쳐 균형 있는 논리력, 문제해결력 기르기

○ **생각하고 발견하는 수학 로지카**
최고 수준 학습을 위한 사고력, 문제해결력 기르기

○ **문제해결력 향상을 위한 실전서**
문제해결사 PULL UP
학년별 실전 고난도 문제해결을 위한 브릿지 학습

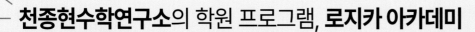

천종현수학연구소의 학원 프로그램, 로지카 아카데미

"수학으로 세상을 다르게 보는 아이로!"
"생각하고 발견하는 수학, **로지카 아카데미**에서 시작하세요."

20년 차 수학교육전문가 천종현 소장과 함께 생각하는 힘을 기를 수 있는 곳, 로지카 아카데미입니다. 생각하고 발견하는 수학을 통해 아이들은 새로운 세상을 만나게 될 것입니다. 오늘부터 아이의 수학 여정을 로지카 아카데미와 함께하세요.

▶ ▷ ▷ ▷ **로지카 아카데미** www.logicaedu.kr

천종현수학연구소의 교재 흐름도

	4세	5세	6세	7세	초 1
출판 교재					
유자수 · 탑사고력	만 3세	만 4세	만 5세	K단계	P단계
원리셈		5, 6세	6, 7세	7, 8세	초등 1
교과셈					초등 1
따풀				7세	초등 1
학원 교재					
매직 · 로지카			K단계	P단계	A단계
풀업				P단계	A단계